LE VENTRE DE L'ATLANTIQUE

Fatou Diome

LE VENTRE
DE L'ATLANTIQUE

Editions Anne Carrière

Du même auteur :

La Préférence nationale, Editions Présence africaine, 2001.

ISBN : 2-84337-238-0

© Editions Anne Carrière, Paris, 2003

www.anne-carriere.fr

Remerciements

Je remercie le Centre national du Livre, pour son attention et son soutien.

A mes grands-parents, mes phares.

A Bineta Sarr, ma mère, ma sœur d'Afrique.
Cette fois, je t'imagine, enfin reposée, prenant le thé
avec Mahomet et Simone de Beauvoir.
Ici-bas, je dépose des gerbes de mots,
afin que ma liberté soit tienne.

1

Il court, tacle, dribble, frappe, tombe, se relève et court encore. Plus vite! Mais le vent a tourné : maintenant, le ballon vise l'entrejambe de Toldo, le goal italien. Oh! mon Dieu, faites quelque chose! Je ne crie pas, je vous en supplie. Faites quelque chose si vous êtes le Tout-Puissant! Ah! Voilà Maldini qui revient, ses jambes tricotent la pelouse.

Devant ma télévision, je saute du canapé et allonge un violent coup de pied. Aïe, la table! Je voulais courir avec la balle, aider Maldini à la récupérer, l'escorter, lui permettre de traverser la moitié du terrain afin d'aller la loger au fond des buts adverses. Mais mon coup de pied n'a servi qu'à renverser mon thé refroidi sur la moquette. A cet instant précis, j'imagine les Italiens tendus, aussi raides que les fossiles humains de Pompéi. Je ne sais toujours pas pourquoi on serre les fesses quand le ballon s'approche des buts.

« Maldini ! Oh, oui ! Très bonne défense de Maldini qui passe à son gardien ! Toldo dégage ! Mais quel talent, ce Maldini ! Voilà un grand joueur ! Il est pourtant resté fidèle au Milan AC. Une centaine de sélections dans l'équipe nationale d'Italie ! C'est fabuleux ! Son père, Cesare, était lui aussi un très grand footballeur ; décidément, cette famille a du talent ! »

Le reporter aurait voulu faire un poème à la gloire de Maldini, mais dans l'urgence du reportage, il ne fit rimer que des points d'exclamation.

Pourquoi je vous raconte tout ça ? J'adore le foot ? Pas tant que ça. Alors ? Je suis amoureuse de Maldini ? Mais non ! Je ne suis pas folle à ce point quand même. Je ne cours pas les vedettes et les étoiles ne brisent pas ma nuque. Ma grand-mère m'a très tôt appris comment cueillir les étoiles : la nuit, il suffit de poser une bassine d'eau au milieu de la cour pour les avoir à ses pieds. Et comme vous pouvez le constater, il suffit d'une petite coupe dans un coin de jardin pour voir vingt-deux étoiles, dont Maldini, tournoyer sur la pelouse comme des rats dans un labyrinthe. Alors, puisque je n'écris pas une lettre d'amour à Maldini, pourquoi je vous raconte tout ça ? Eh bien, parce que tous les virus ne mènent pas à l'hôpital. Il y en a qui se contentent d'agir en nous comme dans un programme informatique, et le bug mental, ça existe.

Le 29 juin 2000, je regarde la Coupe d'Europe de football. L'Italie affronte les Pays-Bas en demi-finale. Mes yeux fixent la télévision, mon cœur contemple d'autres horizons.

Là-bas, depuis des siècles, des hommes sont pendus à un bout de terre, l'île de Niodior. Accrochés à la gencive de l'Atlantique, tels des résidus de repas, ils attendent, résignés, que la prochaine vague les emporte ou leur laisse la vie sauve. Cette pensée m'envahit chaque fois que, prenant mon sillage à l'envers, ma mémoire distingue le minaret de la mosquée, figée dans ses certitudes, et les cocotiers qui balancent leur chevelure dans une nonchalante danse païenne dont on ne sait plus la raison. Est-ce une de ces danses de funérailles qui, jadis, consacraient les retrouvailles de nos morts avec nos aïeux? Ou celle, sans cesse répétée, qui célèbre les mariages après chaque moisson, à la fin de l'hivernage? Ou encore cette troisième sorte de danse que déclenchent les tempêtes et lors de laquelle, dit-on, les cocotiers imitent le mouvement de refus des jeunes filles offertes en mariage à des hommes qu'elles n'aiment pas? La quatrième danse reste la plus mystérieuse, c'est le tango du rêve, et chacun s'y emploie à sa manière, au rythme de son souffle.

Voilà bientôt dix ans que j'ai quitté l'ombre des cocotiers. Heurtant le bitume, mes pieds emprisonnés se souviennent de leur liberté d'antan, de la caresse du sable chaud, de la morsure des coquillages et des quelques piqûres d'épines qui ne faisaient que rappeler la présence de la vie jusqu'aux extrémités oubliées du corps. Les pieds modelés, marqués par la terre africaine, je foule le sol européen. Un pas après l'autre, c'est toujours le même geste effectué par tous les humains, sur toute la planète. Pourtant, je sais que ma marche occidentale n'a rien à voir avec celle qui me faisait découvrir les ruelles, les plages, les sentiers et les champs de ma terre natale. Partout, on marche, mais jamais vers le même horizon. En Afrique, je suivais le sillage du destin, fait de hasard et d'un espoir infini. En Europe, je marche dans le long tunnel de la performance qui conduit à des objectifs bien définis. Ici, point de hasard, chaque pas mène vers un résultat escompté; l'espoir se mesure au degré de combativité. Ambiance Technicolor, on marche autrement, vers un destin intériorisé, qu'on se fixe malgré soi, sans jamais s'en rendre compte, car on se trouve enrôlé dans la meute moderne, happé par le rouleau compresseur social prompt à écraser tous ceux qui s'avisent de s'arrêter sur la bande d'arrêt d'urgence. Alors, dans le gris ou sous un soleil inattendu, j'avance sous le ciel d'Europe en comptant mes pas et les petits mètres de rêve franchis. Mais combien de kilomètres, de journées de labeur, de nuits d'insomnie me séparent encore d'une hypothétique réussite qui, pourtant, va tellement de soi pour les miens, dès l'instant que je leur ai annoncé mon départ pour la France? J'avance, les pas lourds de leurs rêves, la tête remplie des miens. J'avance, et ne connais pas ma destination. J'ignore sur quel mât on hisse le drapeau de la victoire, j'ignore également les grandes eaux capables de laver l'affront de l'échec. Pote-pote, ne dormez pas, c'est ma tête qui bouillonne! Qu'on me passe du bois! Ce feu doit se nourrir. L'écriture est ma marmite de sorcière, la nuit je mijote des rêves trop durs à cuire.

Le bruit de la télévision me sort de ma rêverie. Chaque fois que les reporters crient le nom de Maldini, un visage se dessine sur l'écran. A quelques milliers de kilomètres de mon salon, à l'autre bout de la Terre, au Sénégal, là-bas, sur cette île à peine assez grande pour héberger un stade, j'imagine un jeune homme rivé devant une télévision de fortune pour suivre le même match que moi. Je le sens près de moi. Nos yeux se croisent sur les mêmes images. Battements de cœur, souffle, gestes de joie ou de désarroi, tous nos signes émotionnels sont synchronisés la durée d'un match, car nous courons derrière le même homme : Paolo Maldini.

Là-bas donc, au bout du monde, je devine un jeune homme trépignant, sur une natte ou un banc archaïque, devant une vieille télévision qui, malgré son grésillement, focalise autour d'elle autant de public qu'une salle de cinéma. Généreux, le propriétaire de l'unique télévision du quartier l'installe dans sa cour où tous les voisins affluent sans prévenir. La demeure est ouverte à tous. Le sexe, l'âge et le nombre de spectateurs varient en fonction du programme. Cet après-midi du 29 juin 2000, les conditions météorologiques sont favorables, le ciel est d'un bleu rêvé, la télé ne grésille pas, même si le propriétaire a dû cogner dessus pour la mettre en marche. Les yeux posés sur elle ont la fraîcheur de l'innocence. Des jeunes à la fleur de l'âge, aux corps sculptés par de longues années passées à courir derrière des boules de chiffons, puis des ballons inespérés, se meuvent, se compactent et laissent déferler sur leur front lisse un surplus d'énergie liquéfiée. Le regard aiguisé, ils lancent des pronostics.

L'un d'eux reste muet, concentré sur les images. Le buste projeté vers l'écran, son regard se faufile entre les têtes. Les mâchoires serrées, seuls les quelques mouvements désordonnés qui lui échappent disent la passion qui l'habite. Au premier tacle de Maldini, spontanément, son pied soulève l'arrière-train du garçon accroupi devant lui. La victime se retourne, furieuse, mais, voyant le visage absorbé de l'auteur du coup, n'escompte aucune excuse et se réinstalle un peu plus loin. On ne piétine pas deux fois les couilles d'un aveugle, dit-on, une fois suffit pour qu'il soulève sa marchandise dès que des bruits de pas lui parviennent. Le garçon n'avait qu'à ôter ses fesses de là, car le match ne faisait que commencer, et des actions excitantes, il y en aurait encore. Déjà la fougue pousse au hara-kiri : carton rouge, dégainé contre Zambrota, le numéro 17 italien, là c'en est trop pour le jeune homme. Aussi désemparé que Dino Zoff, l'entraîneur italien, il se redresse et grommelle quelque chose qui n'aurait pas fait plaisir à l'arbitre. Vous l'aurez compris, ce jeune homme est un supporter de l'équipe italienne et je vous interdis désormais de supporter une autre équipe, par respect pour lui. Le sort s'acharne : carton jaune contre Francesco Toldo, le goal italien, qui vient d'attraper le numéro 9 des Pays-Bas. Le jeune homme se lève, serre sa tête entre ses mains, en attendant la sanction qu'il connaît d'avance et qui ne tarde pas à s'abattre : penalty contre l'Italie.

Mon Dieu ! Faites quelque chose ! Que j'arrête de crier ? Non mais, vous ne vous rendez pas compte ! Ce n'est pas grave ? Mais bien sûr que c'est grave ! Oui, je sais ! Ce n'est pas Hiroshima sur l'Italie. Si ce n'était que ça, je m'en moquerais, mais là, ils risquent de prendre un but qui va briser le cœur de Madické! C'est qui Madické? C'est qui Madické? Mais je n'ai pas le temps de vous expliquer, moi! Un penalty, ce n'est pas une pause-café, ça part aussi vite qu'un pet de footballeur! Bon alors, vous allez vous remuer oui?! Et les prières? Et le ramadan? Vous croyez que je fais tout ça pour rien, moi?

Ah! Toldo, le gardien italien, sort le ballon. Madické lance un violent coup de pied qui cette fois ne dérange personne. Ouf! On a évité le pire. Une longue inspiration soulève sa poitrine, il se rassied, le visage illuminé par un sourire que je sais éphémère. Le match continue.

A chaque faute des Italiens, il adopte une position religieuse. Juste avant la mi-temps, Maldini conteste les décisions de l'arbitre et se voit offrir un carton jaune en guise de goûter. Le sourire de Madické s'efface, il sait qu'un deuxième carton jaune équivaudrait à un rouge et éjecterait son idole du terrain. Inquiet, il écrase sa tête entre ses paumes : il ne voudrait pas voir son héros condamné au banc de touche. Il voudrait lui parler, afin qu'il réalise les actions qu'il imagine et les tactiques qu'il échafaude, assis sur son banc. Il voudrait même, à défaut de jouer à ses côtés, lui prêter ses jambes, afin qu'il en fasse sa paire de rechange.

Mais là, sur ce banc, les pieds enfoncés dans un sable blanc et brûlant, combien de kilomètres de rêve le séparent des traces de boue que Maldini laisserait aux vestiaires à la mi-temps ?

Transformant son désespoir en interlocuteur, il hurle des phrases qui restent suspendues à la cime des cocotiers de Niodior et ne parviendront jamais aux oreilles de Maldini Dévouée, je suis sa messagère : Madické et moi avons la même mère ; ceux qui savent aimer à cinquante pour cent vous diront que c'est mon demi-frère, mais pour moi c'est mon petit frère, tout simplement.

Alors, dites à Maldini que ses cartons jaunes ou rouges sont trop lourds et m'écrasent le cœur. Dites-lui d'épargner sa peau, de garder ses côtes intactes, de ne pas recevoir de ballon sur le nez, de ne pas livrer ses jambes aux scies de l'adversaire. Dites-lui que mes gémissements sont au nombre des coups qu'il reçoit. Dites-lui que son souffle ardent me déchire les poumons. Dites-lui que je souffre de ses plaies et en porte les stigmates. Dites-lui surtout que je l'ai vu, à Niodior, courir sur le sable chaud derrière une bulle de rêve. Car un jour, sur un terrain vague, mon frère est devenu Maldini. Alors, dites à Maldini son corps de lutteur, ses yeux noirs, ses cheveux crépus, son beau sourire et ses dents blanches. Ce Maldini-là, c'est mon petit frère englouti par son rêve.

L'arbitre siffle la mi-temps, les jeunes spectateurs se dirigent vers l'arbre en face de la maison, histoire de se dégourdir les jambes, mais aussi pour discuter plus bruyamment sans déranger leur hôte. Seul Madické reste au seuil de la maison. Pour rien au monde il ne raterait la reprise. A la télé, plus rien que de la publicité. Coca-Cola, sans gêne, vient gonfler son chiffre d'affaires jusque dans ces contrées... où l'eau potable reste un luxe. Surtout, n'ayez aucune crainte, le Coca fera pousser le blé dans le Sahel! Attirée par la télé, une troupe de gamins rachitiques âgés de sept à dix ans, avec pour uniques jouets des bouts de bois et des boîtes de conserve ramassées dans la rue, s'esclaffe en voyant la scène suggestive de la publicité : un garçon s'approche d'un groupe de filles qui semblent l'ignorer; il offre un Coca à la plus belle et l'invite; celle-ci, après une gorgée rafraîchissante, offre géné-reusement sa taille au garçon qui l'enlace et ils partent ensemble en se souriant. Les enfants éclatent de rire. L'un d'eux demande à son voisin :

— Qu'est-ce qu'il va lui faire?

Les autres ricanent, celui qui paraît le meneur de la troupe répond en lui donnant un coup de coude :

— T'es idiot ou quoi? Il va la niquer.

Conforté par son leader, un autre gamin pour-suit :

— Il y aura un bal derrière chez moi, j'ai vu mon grand frère et ses amis apporter des caisses de Coca, hi hi hi! Elles vont voir, les filles, ce qu'ils vont leur mettre! Hi hi hi!

Les rires repartent de plus belle. Ensuite, c'est au tour de Miko d'aiguiser leur appétit. Un énorme cône de glace, aux couleurs chatoyantes, remplit l'écran, puis un enfant bien potelé apparaît, léchant goulûment une glace démesurée. Des ronronnements d'envie remplacent les insanités de tantôt : « Hum! Hâm! Hâââmmm! C'est bon! Hum! » font-ils de concert. Les glaces, ces enfants n'en connaissent que les images. Elles restent pour eux une nourriture virtuelle, consommée uniquement là-bas, de l'autre côté de l'Atlantique, dans ce paradis où ce petit charnu de la publicité a eu la bonne idée de naître. Pourtant, ils y tiennent à cette glace et, pour elle, ils ont mémorisé les horaires de la publicité. Miko, ce mot, ils le chantent, le répètent comme les croyants psalmodient leur livre saint. Cette glace, ils l'espèrent comme les musulmans le paradis de Mahomet, et viennent l'attendre ici comme les chrétiens attendent le retour du Christ. Ce cône de Miko, ils lui ont trouvé des icônes : ils ont grossièrement taillé des bouts de bois, les ont peints à la craie rouge et jaune pour représenter des glaces appétissantes. Ce sont ces bouts de bois qu'ils reniflent en savourant la publicité. Pour ces enfants, je rêve d'une piscine de Miko, bâtie au nom du plaisir et non du chiffre d'affaires. Cette glace, ils rêvent de la gober comme Madické rêve de serrer la main de Maldini.

La publicité tire à sa fin. Les jeunes qui poursuivaient leurs pronostics sous l'arbre reviennent s'attrouper devant la télévision et renvoient les gamins, trop bruyants à leur goût. Ici, on ne badine pas avec le droit d'aînesse. Un vieux pêcheur, encore robuste, en haillons, vient s'installer confortablement devant Madické. Celui-ci l'identifie à l'odeur de poisson qui lui envahit les narines. Les salutations sont polies mais brèves. Cette odeur est fétide, mais le respect, ça vous cloue le bec. Madické reste coi. Il sait qu'ici les dizaines d'années accumulées sont autant d'atouts qui excusent tout. Il lui faudra supporter ce fossile en putréfaction pendant toute la seconde mi-temps. Alors il se concentre et s'imagine là-bas, loin du vieux pêcheur, là où se joue le match.

Le stade réapparaît. Les joueurs ne sont pas encore sortis des vestiaires, mais les reporters s'échauffent déjà la gorge avec des phrases où revient souvent le nom de Maldini. Que disent-ils de lui ? se demande Madické. Il tend l'oreille. Pas facile d'entendre avec ses voisins qui commentent comme des sélectionneurs de haut vol. Il se rapproche de l'écran qui palpite, met la main derrière l'oreille, comme pour mieux s'isoler du groupe, et écoute encore. La voix des reporters est un peu plus audible, mais le langage qu'ils utilisent survole ses oreilles sans s'y infiltrer vraiment. Ah, c'est agaçant! Et puis cette odeur de plus en plus forte... Seul le nom de Maldini lui parvient clairement à intervalles irréguliers. Mais bon sang de bon Dieu de trou de balle, que disent-ils de lui?

Cette langue, il l'a souvent entendue et même vue. Oui, il l'a vue, chez lui, cette langue porte des pantalons, des costumes, des cravates, des chaussures fermées; ou alors des jupes, des tailleurs, des lunettes et de hauts talons. Oui, il reconnaît cette langue qui fait la musique des bureaux sénégalais, mais il ne la comprend pas et ça l'irrite. Le match recommence.

Le premier coup franc est en faveur des Italiens. Madické se délecte. Ils se sont ressaisis, pense-t-il, et ça le rassure. Mais son optimisme est vite démenti. Les Hollandais tiennent à leur honneur. Ils défendent leurs buts comme une nonne sa foufounette. Les Italiens doivent faire avec. La guerre sublimée sur la pelouse nécessite des nerfs solides et ce n'est pas facile de les garder intacts pendant quatre-vingt-dix minutes. Surtout durant ces derniers instants du match où toutes les actions sont déterminantes. Madické transpire, il fait chaud, et puis cette odeur de poisson commence à lui soulever le cœur.

L'arbitre siffle la fin de la durée réglementaire, les combattants devront attendre les prolongations pour en découdre. D'ailleurs, même si leur désir de gloire les maintient debout, leur mine dévastée implore le repos. Comme une mère protectrice, comme une sœur attendrie, comme une épouse dévouée, je voudrais leur donner à boire, leur éponger le visage, panser leurs blessures et les cajoler. Je voudrais leur dire que leur match au score insatisfaisant ressemble à la vie : les meilleurs buts sont toujours ceux à venir, seulement il est pénible de les attendre.

Couverts de boue et dégoulinants de sueur, les joueurs regagnent les vestiaires, les épaules basses, écrasées par tant d'efforts infructueux.

Repos avant les prolongations. Le groupe de jeunes spectateurs demeurés devant la télévision s'anime. Le match est en train de démentir leurs pronostics. Les plus nerveux tiennent à faire valoir leur opinion en gesticulant. La musique de la publicité retentit. Les gamins de tantôt accourent, le vieux pêcheur, pour meubler la pause, cherche une discussion. Avec un sourire taquin, il tape Madické sur l'épaule et dit, en se lissant la barbe :

– Hé! Hé! Maldini, que se passe-t-il? Tu n'assures pas aujourd'hui, hein! Tes adversaires sont vraiment de taille.

Madické lève les yeux sur l'homme avant de pointer son regard vers l'horizon crépusculaire. Le silence a quelque chose de désarmant, le savoir aussi. Inspiré, le vieux ne se laisse pas démonter. Se faisant docte, il se lisse encore la barbe et proclame une pensée qu'il vient de faire sienne :

– Sais-tu, Maldini, que la grandeur des obstacles franchis rend la réussite plus éblouissante? La qualité de la victoire se mesure à la valeur de l'adversaire. Battre un poltron ne fera jamais d'un homme un héros.

Ces élucubrations ne soulagent guère Madické. Il connaît cette philosophie de dinosaure, ce verbiage exotique, mille fois falsifié, que les Occidentaux nous collent à la peau pour mieux nous mettre à part. Ras la casquette de tous ces proverbes improvisés. Le vieux pêcheur ne savait-il pas inversement que perdre devant un adversaire courageux n'a jamais fait d'un homme un héros non plus?

Le soleil semblait fuir les interrogations des humains et menaçait de s'abîmer dans l'Atlantique. Le ciel, embrasé par les passions, paraissait plus bas que d'habitude, laissant pendre une traîne de lumière rousse qui couvrait la cime des cocotiers.

Miséricordieuse, la brise marine, presque imperceptible, effleurait la peau. Seules quelques femmes, en retard dans leurs tâches ménagères, revenant des puits, remarquaient ce léger vent du crépuscule qui s'engouffrait sous leurs pagnes pour les caresser là où le soleil jamais ne pose son regard. C'étaient aussi des femmes dévouées comme celles-là qui osaient perturber le calme naissant du village de leurs derniers coups de pilon. Pong! Pong! Rakkasse! Kamasse! Pong! Ces coups de pilon, répétitifs et lointains, résonnaient au plus profond du cœur de Madické. Pour les avoir entendus toute sa vie, il les reconnaît, les décode même : ils précèdent toujours l'appel du muezzin et le chant des hiboux. Ils sont devenus pour tous les insulaires la musique annonciatrice de la nuit. Mais dans cet univers de superstition, ils sonnent aussi l'heure des esprits maléfiques et le glissement dans les ténèbres des peurs ancestrales.

Lorsque, petit, il entendait ces coups de pilon, Madické, à l'instar de ses camarades, quittait les terrains de jeux improvisés et courait rejoindre notre mère. Il savait exactement où la trouver : à cette heure, elle était toujours dans sa cuisine, au fond de l'arrière-cour, occupée à surveiller la cuisson du dîner ou à piler une poignée de mil pour la bouillie au lait caillé du lendemain. Si, par un malencontreux hasard, il ne la trouvait pas, évitant l'angoisse des ombres rampantes du dehors, il prenait son petit banc et s'installait dans la cuisine face au feu. Impatient, il trompait l'ennui en alimentant le feu de bois et s'émerveillait devant la danse des flammes jusqu'à ce qu'une voix, faussement autoritaire, lui parvienne.

– Hé, arrête, Madické! Quel brasier tu me fais là! Tu vas me brûler le dîner.

Le temps avait passé, l'atmosphère sournoise du crépuscule le poussait toujours en quête de jupes rassurantes, mais plus celles de sa mère. D'ailleurs, ce 29 juin 2000, la plus belle des naïades n'aurait su capter son regard.

Le rideau fantasmagorique de la publicité se déchire. Les gamins se dispersent avec les dernières notes de leur chanson favorite : Miko! Miko! La cour, plongée dans le noir, ressemble à un cimetière marin. Seul le faisceau bleuté qui émane de la vieille télévision éclaire faiblement le visage des spectateurs. Le silence est propre au recueillement. Le muezzin se fend la gorge pour rien. Il n'aura qu'à boire un thé à la menthe après! Ça lui fera du bien! Le stade réapparaît, les fidèles acclament leurs dieux. Le vieux pêcheur se racle bruyamment la gorge, secoue le bras de son voisin et annonce sur le ton de la confidence :

– Maldini, mon petit, c'est maintenant l'heure de vérité.

Madické esquisse un sourire de circonstance, avant de retirer son bras, agacé par l'action de Jaap Stam, un joueur hollandais.

– Carton rouge! hurle-t-il.

Mais l'arbitre se contente du jaune.

– Merde, il mérite un carton rouge! Cet arbitre est un vrai c...

Phrase sans point final : personne ne sait où s'arrête la colère. Les Hollandais regardent droit devant eux. Ils sont de plus en plus entreprenants. Aron Winter tient à faire valoir son opinion et obtient un corner. Quatre-vingt-quatre sélections, ça vous donne de l'expérience, surtout pour la triche. Seedorf se croit adroit et accourt pour tirer le corner. Delvecchio se précipite et prouve à sa maman que son lait n'était pas inutile : c'est sûr, elle a allaité un héros capable de restituer son souffle à toute la nation italienne. Mais les mères hollandaises en ont fait autant, et leurs fils, qui tiennent à les rendre fières, remontent à l'attaque. Cannavaro dresse un barrage et dégage, Maldini engage un sprint, Madické décolle de son banc et se voit derrière lui :

– Allez! Vas-y! Tu peux le faire! Vas-y! crie-t-il à se rompre les cordes vocales.

Everything you want you've got it!

Un cousin refoulé des USA n'arrêtait pas d'écouter cette chanson et la traduisait à qui voulait l'entendre : *Quand on veut, on peut.* Madické commence à avoir des doutes, à juste titre d'ailleurs.

Les deux périodes de prolongation restent stériles. La série de tirs au but est désormais inévitable. Madické le sait, dans sa poitrine son cœur bat la chamade. Il pose la main dessus, mais rien à faire, son palpitant s'active de plus belle.

La maîtresse de maison appelle au dîner. Ici, le repas n'est pas réservé aux seuls habitants de la demeure, tous ceux qui sont là, au moment du service, y ont droit et se voient naturellement conviés à le partager. Une jeune fille apporte une petite calebasse remplie d'eau où l'on se lave les mains à tour de rôle, pendant que sa mère dispose une série de bols fumants au milieu de la cour. Le vieux pêcheur se rince sommairement la pelle et, sans se faire prier, rejoint le chef de famille. Tout en discutant de la mauvaise pêche des derniers jours, il s'installe en tailleur sur une natte et commence à honorer l'œuvre de la ménagère. Hum! Un *talalé* fleurant bon les épices, un vrai mets royal! C'est sûr, il n'y a que les femmes de chez nous pour réussir un aussi délicieux couscous au poisson!

Madické, lui, a l'estomac noué. Il prétexte un déjeuner tardif pour décliner poliment l'invitation.

En outre, contrairement à l'ancienne génération, il trouve gênant de partager le repas d'autrui au hasard des circonstances. Sans ce match qui traîne en longueur, il se serait débrouillé pour partir avant l'heure du dîner. Alors que certains enchaînent les bouchées de couscous et complimentent la cuisinière pour justifier leur gourmandise, il savoure le calme qui s'est créé devant la télévision.

« Super ! se dit-il intérieurement, je pourrai suivre la série de tirs au but en paix. »

Mais la météo en décida autrement. A peine termina-t-il sa phrase qu'une série d'éclairs déchira le ciel. Une violente tornade mit les branches des cocotiers en vrille. Le sable blanc, qui fait la fierté des insulaires, devint leur pire ennemi, un tourbillon leur flagellant la peau et emportant tout sur son passage. Ceux qui dînaient quittèrent promptement les nattes qui allèrent se tapir contre la clôture, à défaut de tournoyer au-dessus de leur tête. Puis de grosses gouttes se mirent à tomber : l'une de ces premières pluies de juin, souvent brèves mais surtout imprévisibles, qui annoncent aux Sahéliens le début de l'hivernage et des travaux champêtres.

Madické n'avait pas attendu les premières gouttes d'eau pour saisir le vieil appareil et l'emporter au salon, mais c'était peine perdue. Dès les premiers éclairs, la télé avait clignoté puis, émettant un dernier bip, s'était brutalement éteinte. Il ne voulait pas penser au pire : ce bip n'était pas un dernier soupir, cette télé ne pouvait avoir rendu l'âme. Il se dit que c'était un caprice électrique, juste un choc, une sorte d'attaque cardiaque provoquée par la violence des éclairs. Dans le salon, il tenta seul une longue réanimation, sans succès. Il lui fallut le verdict du propriétaire pour se décider à quitter le chevet de la malade :

— Je crois qu'elle est morte, il n'y a rien à faire, elle n'a jamais aimé la saison des pluies. L'année dernière aussi elle m'a lâché dès le premier coup de tonnerre, heureusement j'ai réussi à la faire repartir. Pour le coup, je crois que c'est fini.

La main posée sur la télévision, l'homme palabrait en souriant. Jetant un coup d'œil sur la pendule du salon, Madické réalisa avec amertume que la série de tirs au but aussi était finie. Il ânonna quelques politesses et prit congé.

2

Dehors, la pluie avait laissé sa fraîcheur aux vivants ; les cocotiers, presque immobiles comme après chaque tornade, veillaient leurs branches qui jonchaient le sol. Le sable ne s'infiltrait plus dans les sandales ; mouillé, il offrait son dos rond aux pas et on aurait pu le croire docile s'il ne se faisait délateur : on pouvait aisément suivre de profondes traces qui se dirigeaient vers le télécentre. En marchant, Madické repassa en mémoire le sourire du propriétaire de la télé. Réaction différée : « Sa télé est cassée et ça le fait sourire, quel mec bizarre celui-là. Peut-être était-il content de nous voir enfin décamper ? »

Madické avait peut-être vu juste, mais ce n'était pas l'unique raison. En fait, cet homme ne tenait pas particulièrement à sa télévision. Comme sa Rolex de contrebande, qu'il ne savait pas régler, comme son salon en cuir, toujours emballé dans une cotonnade blanche, comme son congélateur et son frigo, fermés à clef, comme sa troisième épouse, éclipsée par la quatrième, qu'il ne remarquait plus que les soirs où sa rotation conjugale l'y obligeait, cette télévision était là, dans sa vaste demeure, pour signifier sa réussite.

Natif de l'île, gavé du couscous de sa mère et indigné par la pauvreté de son père, il avait d'abord usé ses muscles saillants dans les fonds de cale qu'il vidait au port de Dakar. La difficulté du labeur n'avait rien changé à sa détermination : la pauvreté, c'est la face visible de l'enfer, mieux vaut mourir que rester pauvre, disait-il. Pour l'encourager ou mieux le pousser au suicide, la voix fatiguée mais ineffaçable de son père lui revenait en écho : *N'oublie jamais, chaque miette de vie doit servir à conquérir la dignité!*

Il avait vu certains de ses copains rentrer au village dans une boîte remplie de glace, tués par le tétanos, une fuite d'ammoniac ou écrasés sous quelques tonnes de riz, mais il avait tenu bon. Puis, un jour, ses parents avaient fait lire à l'instituteur une lettre venue de France.

– Hein! Notre fils est en France! s'était exclamée la mère sous le regard amusé de monsieur l'instituteur.

– Ah han! *Allah Akbar!* Allah est grand! *Alhamdoulilah!* Merci, Allah, avait dit le père, trois fois, avec plus de retenue.

Grâce aux mandats irréguliers de leur fils, leur vie changea, petit à petit, mais assez vite pour que cela se remarque. Ils s'endettaient de moins en moins chez l'épicier qui leur faisait maintenant de grands sourires et prenait plus de temps pour les amabilités. Tous les deux ans, leur fils revenait l'été pour un mois complet. Il distribuait quelques billets et des pacotilles *made in France*, que personne n'aurait échangées contre un bloc d'émeraude. Ici, la friperie de Barbès vous donne un air d'importance, et ça, ça n'a pas de prix!

A la fin de son deuxième congé, l'homme de Barbès épousa la petite paysanne que ses parents avaient choisie pour lui. Ce n'était pas le premier choix, mais il devait s'en contenter. Pendant les deux longues années qu'il avait passées en France, avant d'annoncer son deuxième retour au pays, sa première promise n'avait pas eu la patience de l'attendre. Elle s'appelait Sankèle, sa beauté dressait les poils des insulaires, sa voix arrachait des larmes aux veuves de pêcheurs, mais jamais elle n'entonnait un de ses chants de lamentations par lesquels les femmes de l'île invoquent les divinités pour le retour d'un Cupidon aventurier. En dépit d'une éducation traditionnelle, qui tâchait de la modeler comme du beurre de karité, Sankèle avait grandi avec des ailes de pélican assoiffé d'azur. Malgré son sourire timide et son regard fuyant, elle avait du cœur et de l'audace. De sa mère, elle avait hérité les traits, mais pas la vision du monde. L'amour, elle le concevait d'une manière bien à elle. Qu'attendre d'un homme au bout du monde, sinon des nuits de veuve et des rides par dizaines à chacun de ses retours ? Guidée par sa propre loi, la belle Sankèle avait fauté, la belle-famille cria au déshonneur, s'en détourna et réserva une brebis moins cavaleuse à immoler au retour de l'enfant prodigue. Ce dernier, malgré son illettrisme, avait commencé à prononcer le *r* à la française. Il savait que cette fille n'accepterait pas tout de suite une fellation ou un cunnilingus, mais qu'à cela ne tienne, elle était de bonne famille et dressée pour être une épouse soumise ; avec le temps, il finirait par la modeler à sa guise. Pour le moment, il tenait simplement à prouver qu'il était resté un fils respectueux de la tradition. Il ne s'enquit point du sort de sa première promise, les vieux avaient sans doute décidé pour le mieux, en connaissance de cause. Il n'avait pas de temps à perdre, sa mère se faisait trop vieille, une jeune épouse à la maison l'y aiderait ; surtout, c'est moins cher qu'une bonne. Il se consola du sacrifice consenti à ses parents, en se disant qu'il pourrait, par la suite, épouser une femme de son choix, une fille raffinée, qui se maquille. Plus tard, il en était certain, il aurait une de celles qui s'achètent des slips en dentelle et s'encastrent dans du prêt-à-porter Yves Saint Laurent *made in Taiwan*. Quand on vient de France, on peut épouser qui on veut, il le savait. En revanche, personne ne pouvait se targuer de connaître son activité en France. A son arrivée, on se contenta d'admirer son pouvoir d'achat, faramineux par rapport à la moyenne de l'île. Lui au moins pouvait se permettre de remplacer l'éternel riz au poisson par un délicieux ragoût de poulet.

A son troisième congé, il commença à bâtir son imposante demeure. Le soir de la pose de la première pierre, son père, qui avait présidé aux bénédictions, succomba. Excès de bonheur? Crise cardiaque? L'infirmier n'était pas là pour le dire. Parce qu'on l'aimait trop pour laisser son âme errer longtemps entre deux mondes, on eut vite fait de l'enterrer avant d'aller s'empiffrer des succulents repas d'obsèques offerts par son fils. La veuve entama sa réclusion, on respecta trois jours de deuil, ponctués par les lamentations des pleureuses et les appels aux repas. Après avoir honoré la mémoire de son père à grands frais, le vacancier relança les travaux.

Chaque miette de vie doit servir à conquérir la dignité!

Cette maison lui assurerait à jamais le respect et l'admiration des villageois. Le gros œuvre était fini lorsqu'il vendit à Barbès les divers cadeaux reçus des villageois. Aux vacances suivantes, il termina sa maison, fit déménager les siens de la bicoque natale et prit une deuxième épouse, un peu plus moderne que la première. Elle était bonne à tout faire chez des bourgeois de la capitale, dont elle singeait les manières et le langage. Dégoulinante de sueur dans ses longues robes de basin, les talons enfoncés dans le sable, elle jouait de son regard et intercalait quelques mots français dans ses phrases. Elle n'eut que deux ans pour profiter des privilèges de la nouvelle élue. Une troisième, puis une quatrième épouses vinrent la bousculer du trône.

A son septième voyage, l'homme de Barbès se construisit une boutique bien approvisionnée à l'entrée de sa demeure et s'installa définitivement au village. Devenu l'emblème de l'émigration réussie, on lui demandait son avis sur tout, les visages se faisaient polis à sa rencontre, même le sable se lissait au passage de ses longs boubous amidonnés. Vous vous demandez toujours comment il avait gagné son argent en France ? Ecoutez Radio Sonacotra.

Madické, lui, se posait d'autres questions en arrivant au télécentre : comment s'était passée la série de tirs au but ? Maldini avait-il tiré ? En tant que capitaine, c'était presque certain. Il avait peut-être marqué ? L'Italie avait peut-être gagné ? Et pour-quoi pas ? Maldini, à lui seul, pouvait mettre l'armée hollandaise en déroute.

– Bonsoir, Maldini, ça va ? Tu veux appeler ta sœur ? fit la jeune femme en laissant apparaître toute la splendeur de ses dents.

– Bonsoir, Ndogou, répondit Madické en sur-sautant.

Absorbé dans ses pensées, il s'était arrêté machi-nalement sans saluer.

– Comment vas-tu ? Tu n'as pas de dégâts ? Relativement à la tornade de tantôt, ajouta-t-il, comme pour se faire pardonner.

Mais cet intérêt qu'il affectait de manifester à Ndogou cachait mal son inquiétude. Sa dernière question n'était qu'une manœuvre détournée, une manière habile de se renseigner sur l'état du télé-phone : était-il sorti indemne de la tornade ?

Se levant de sa chaise installée au seuil du télé-centre, Ndogou, qui avait perçu l'obliquité du pro-pos, annonça gentiment :

– Il y a quelqu'un au téléphone. Dès qu'il aura fini, tu pourras y aller.

Ndogou, considérée comme une intellectuelle du fait de son bref passage au collège, occupe une place importante au village. Elle est responsable de ce qu'on appelle ici le *télécentre* : une petite pièce où le téléphone, que se partagent tous les habitants du quartier, repose sur son autel. Les gens s'y rendent avec leurs bouts de papier, griffonnés de deux ou trois numéros de téléphone, pour appeler leurs correspondants en échange de quelques pièces. Illettrés, pour la plupart, l'aide de la demoiselle leur est souvent nécessaire pour composer un numéro. Mais l'essentiel du travail de Ndogou consiste à arpenter le village de 8 heures à 22 heures, à la recherche d'habitants réclamés au téléphone par des proches au bout du monde.

– Dieu te bénisse, ma fille ! lança le vieux qui sortait du télécentre, la barbe plongée dans l'échancrure de son caftan. Je te réglerai bientôt. Mon fils, celui qui est en Italie, m'a promis un mandat.

Les prières des vieilles personnes valent mieux que des billets de banque, dit-on ici. Et si les anges faisaient un peu de comptabilité ? En monnaie de prières, combien coûtent un coup de fil, une baguette de pain, un kilo de riz, un litre d'huile, un savon, une paire de chaussures ou une ordonnance dictée par la malaria ?

Ndogou acquiesça de la tête, sortit son carnet et rallongea sa longue liste d'impayés. Des carnets comme le sien, il y en a chez tous ceux qui tiennent un commerce au village. L'île regorge de vieillards qui ne peuvent plus ni aller à la pêche ni cultiver leurs champs – autrefois nourriciers, aujourd'hui abandonnés à la forêt –, et de femmes d'émigrés encerclées par une marmaille qui consomme à crédit sur la foi d'un hypothétique mandat.

Madické commençait à trépigner d'impatience. Ndogou lui adressa un grand sourire, referma son carnet, remit le compteur à zéro et prononça la phrase attendue :

– Vas-y, Maldini, désolée, on ne peut jamais se presser avec ces vieux. Avant, ils attendaient qu'on les appelle, mais maintenant, ils ont pris l'habitude de venir téléphoner alors qu'ils n'ont même pas de quoi...

Madické n'entendit pas la suite, il avait déjà le combiné à l'oreille.

A Strasbourg, j'arrosais la victoire de l'Italie sur les Pays-Bas d'une théière bien remplie, en écoutant Yandé Codou Sène, la diva sérère du Sénégal, et en m'empiffrant de gâteaux. Il est vrai que la joie me donnait des envies d'excès, mais c'était surtout la voix de Yandé Codou qui m'envoûtait peu à peu et réveillait en moi une mélancolie que je voulais juguler à tout prix. Il y a des musiques, des chants, des plats qui vous rappellent soudain votre condition d'exilé, soit parce qu'ils sont trop proches de vos origines, soit parce qu'ils en sont trop éloignés. Dans ces moments-là, désireuse de rester zen, je deviens favorable à la mondialisation, parce qu'elle distille des choses sans identité, sans âme, des choses trop édulcorées pour susciter une quelconque émotion en nous. La nostalgie est mon lot, je dois l'apprivoiser, garder dans mes tiroirs à reliques la musique de mes racines tout comme les photos de ceux des miens à jamais couchés sous le sable chaud de Niodior.

Confortablement installée, je dérivais maintenant au hasard du zapping mais, assez vite, une scène capta mon attention. On y voyait des starlettes issues d'un casting commercial, une bande de demeurées qui ignorent tout des combats menés pour la dignité des femmes. Sur des notes volées à divers compositeurs des cinq continents, elles exhibaient leurs corps d'anorexiques en hurlant des vers de mirliton. Bon Dieu! Rendez-moi Piaf, Brel, Brassens, Barbara et Gainsbourg, qui savaient faire couler leurs chansons comme autant de sources limpides, jusqu'à la plus reculée des pistes du Sahel. Là, une douce goutte de français vous tombait dans l'oreille puis sur le bout de la langue pour ne plus jamais vous quitter. Miam, ça se mange une bonne langue!

J'entamais ma deuxième boîte de gâteaux et ma troisième tasse de thé lorsque la sonnerie du téléphone retentit.

– Allô! Oui, c'est moi, rappelle-moi au télécentre.

– Madické? Ça va?

– Oui, rappelle-moi au télécentre, à tout de suite.

00221... ce n'est pas un numéro, c'est la partie de ma gorge où France Telecom pose la lame impitoyable de son couteau. France-Sénégal : l'unité au prix fort pour des étudiants fils de paysans, des expertes du ménage qui s'habillent chez Tati, des gardiens de magasin qui se musclent aux nouilles, des touristes qui visitent Paris juchés sur des camions à benne, des arroseurs de jardin qui coupent des roses pour Mme Dupont sans jamais pouvoir en offrir à leur fertile épouse, je trouve le tarif aussi indécent qu'une fessée administrée à un mourant. En concoctant la francophonie, Senghor aurait dû se rappeler que le Français est plus riche que la plupart des francophones et négocier afin de nous éviter ce racket sur la communication.

Seule une nostalgie foudroyante, la supplique irrésistible d'une mère inquiète ou d'un frère impatient me poussent à composer le 00221. Je décroche le téléphone. Il est noir. Il aurait dû être rouge, rouge de mon sang que je verse à France Telecom.

— Allô! Madické? Oui, c'est moi, ça va?

— Oui, ça va. Tu as regardé *le* match?

— Oui, j'ai regardé. Comment vont les grands-parents?

— Bien. Qui a gagné? Tu as regardé la série de tirs au but?

— Oui. Comment vont...?

— Tout le monde va bien! Raconte! Qui a tiré?

Tout le monde va bien, c'est un peu maigre, mais je n'insiste pas. Je sais que je n'aurai pas vraiment des nouvelles du pays tant que je n'aurai pas livré ma dissertation sur le match.

— Di Biagio a tiré le premier, il fallait voir sa tête. Il regardait la balle avec une telle intensité qu'on aurait dit un matador prêt à affronter un taureau méchant dans une arène espagnole. Sur les gradins, tout le monde retenait son souffle, puis la balle est partie comme une flèche et...

— Il a marqué? Dis, il a marqué?

— Oui, il a marqué et...

— Et ensuite, vas-y, ensuite?

— Ensuite le capitaine des Pays-Bas a tiré, mais heureusement Toldo a décollé comme s'il avait des ailes...

— Toldo a attrapé le ballon. Ensuite?

— Un joueur des Pays-Bas, tu sais, le numéro...

— Non, dis-moi seulement pour les joueurs italiens.

— Pessoto, ça se voyait dans ses yeux qu'il voulait allumer les buts hollandais, l'espace d'un éclair...

— Il a marqué? Dis, il a marqué?

— Oui, Totti aussi, il a inscrit le troisième but. Les banderoles italiennes flottaient sur tout le stade, les supporters s'enhardissaient, ils...

— Et Maldini? Il a tiré Maldini? Dis!

— Oui, il a tiré, un capitaine digne de ce nom ne peut laisser ses troupes monter au front sans lui. Même s'il avait donné des instructions qui s'étaient révélées judicieuses, Maldini lui-même devait les mettre en pratique et prouver que...

— Il a marqué? Dis!

— Mais arrête de me couper la pa...

— Ouais, excuse-moi! Alors? Il a marqué?

— Non, il a raté!

— Eh merde! Mais on a gagné? Dis, ils ont gagné?

— Si tu m'avais laissée te dire en même temps les tirs des joueurs hollandais, tu l'aurais déjà su, mais tu es tellement impatient que...

— Dis, ils ont gagné quand même?

— Oui!

— Combien? Le score? S'il te plaît!

– Trois à un.

– Super! Je savais qu'ils allaient gagner! Génial!
Bon, je vais te laisser, on doit m'attendre à la maison. Avec les copains, nous avons organisé un bal
pour ce soir.

– Attends, comment va ma grand-mère? Elle va
bien?

– Oui, n'oublie pas de regarder la finale,
France/Italie, ce sera le 2 juillet, 18 heures au Séné-
gal, avec le décalage horaire ça fait 20 heures en
France, salut.

– Eh! Je n'ai pas que ça à foutre, moi! hurlai-je,
mais je n'eus qu'un bip en guise de réponse. Salut,
petit con, murmurai-je, avant de balancer le combiné.

C'est toujours le même scénario avec lui. Il
m'oblige à l'appeler, je me ruine pour lui raconter
des matchs de football, mais impossible de lui soutirer des informations. Il ne pense qu'à son foot!
Un jour, je lui collerai ma facture de téléphone
dans la bouche, pour lui apprendre à tendre
l'oreille!

Je suis pourtant très contente d'avoir entendu
Madické. Je sais que lui, au moins, va bien; et puis
s'il y avait un grave problème dans la famille, il me
l'aurait dit. Les hommes n'aiment pas les détails,
dit-on, et lui, tout petit déjà, on lui avait fait

comprendre qu'il devait se comporter en homme. On lui avait appris à dire « ouille ! », à serrer les dents, à ne pas pleurer lorsqu'il avait mal ou peur. En échange du courage qu'il devait manifester en toutes circonstances, on lui avait bâti un trône sur la tête de la gent féminine. Mâle donc, et fier de l'être, cet authentique guelwaar savait, dès l'enfance, jouir d'une hégémonie princière : ravir les rares sourires de son père, le plus gros morceau de poisson, les meilleurs beignets de sa mère et avoir le dernier mot devant les femelles.

Je remets le téléphone à sa place. Je suis une féministe modérée, mais là, ç'en est vraiment trop. La déprime me guette. Je m'allonge sur le canapé et entame un dialogue avec mes hormones. Elles ne me rendent pas toujours service : non seulement elles me font souffrir quand elles sont mal lunées, mais c'est à cause d'elles qu'on me coupe la parole. On les a baptisées *soumission* sans mon accord ; je n'aime pas ce mot avec ses trois *s,* ces constrictives qui conspirent, conspuent l'amour, et ne laissent souffler qu'un vent d'autoritarisme. Je n'aime pas les sous-missions, je préfère les vraies missions. Et j'aime beaucoup les talons aiguilles aussi. Marie Curie en portera-t-elle au rendez-vous des grands hommes ? Je n'en sais rien. En revanche, je suis certaine que tous les grands de ce monde se sont agenouillés, au moins une fois dans leur vie, pour embrasser le pied d'une femme qui en portait. Alors, mes hormones de féminité, je les garde! Pour rien au monde je ne voudrais des testicules. D'ailleurs, il y en a qui se les arrachent pour promener leur torse poilu sur des talons aiguilles jusqu'au bois de Boulogne.

Je me lève, mets une musique entraînante. Youssou N'Dour dit ce qu'il veut, le batteur canalise ma transe, je danse. Les mains sur les genoux, je balance de la croupe, c'est la danse du ventilateur, celle que les femmes sénégalaises exécutent à merveille, celle qui fait pendre des mètres de langues d'hommes sur les places de danse, ébranle le fragile trône de la virilité et fait oublier jusqu'au nom de son père au plus dur des machos, soudain prêt à ramper pour compter, jusqu'au bout de la nuit, les perles autour de la taille d'une belle lascive qui, pourtant, décidera seule, d'un sourire narquois, du moment du coït. Le lendemain matin, pour laver son béthio, son petit pagne nocturne à broderie coquine, elle ouvrira sa main, fermée depuis l'extase, un papillon s'envolera et, dehors, il se prendra pour un éléphant. Voilà, sans doute, pourquoi ma grand-mère me disait que dans le secret des chaumières un éléphant devient aussi léger qu'un papillon. Madame sait dompter les fauves, mais dehors elle se fera soumise et fragile. Au secours, monsieur, une araignée! Aidez-moi, enlevez ça d'ici, j'ai si peur des araignées! Ouf! Merci, messieurs, que ferions-nous sans vous?

Fatiguée de danser, je m'installe devant une bouteille d'eau et rallume la télévision. C'est le dernier journal du soir qui commence, rappelant le score du match et commentant : « France/Italie, quelle belle affiche pour la finale de la Coupe d'Europe! » Les supporters vont se disputer les places, si elles ne sont pas déjà toutes vendues. On aurait arrêté, paraît-il, des aigrefins qui les revendaient au noir à un prix exorbitant. Puis on repasse des images tournées à la fin de la rencontre. Maldini intervient brièvement. Ah! Encore lui! Décidément, il ne me lâche pas. Je zappe : soirée thématique consacrée aux passionnés de jeux, des gens qui parcourent le monde en quête de casinos. Mais sur quelle planète vivons-nous? Nous sommes entourés de dingos et mon frère en fait partie. S'il pouvait courir le monde pour assister aux matchs de Maldini il le ferait, j'en suis sûre.

N'oublie pas de regarder la finale du 2 juillet. Et j'attendais. Qui peut encore oser dire que la distance libère? Cette petite phrase avait suffi pour me plonger dans l'expectative et tout suspendre autour de moi. Mais, pour Madické, que pouvait-il se passer de plus important que ce match dans ma vie en France? Au paradis, on ne peine pas, on ne tombe pas malade, on ne se pose pas de questions : on se contente de vivre, on a les moyens de s'offrir tout ce que l'on désire, y compris le luxe du temps, et cela rend forcément disponible. Voilà comment Madické imaginait ma vie en France. Il m'avait vue partir au bras d'un Français après de pompeuses noces qui ne laissaient rien présager des bourrasques à venir. Même informé de la tempête, il n'en mesurait pas les conséquences. Embarquée avec les masques, les statues, les cotonnades teintes et un chat roux tigré, j'avais débarqué en France dans les bagages de mon mari, tout comme j'aurais pu atterrir avec lui dans la toundra sibérienne. Mais une fois chez lui, ma peau ombragea l'idylle – les siens ne voulant que Blanche-Neige –, les noces furent éphémères et la galère tenace. Seule – entourée de mes masques et non des sept nains –, décidée à ne pas rentrer la tête basse après un échec que beaucoup m'avaient joyeusement prédit, je m'entêtais à poursuivre mes études. J'avais beau dire à Madické que, femme de ménage, ma subsistance dépendait du nombre de serpillières que j'usais, il s'obstinait à m'imaginer repue, prenant mes aises à la cour de Louis XIV. Habitué à gérer les carences dans son pays sous-développé, il n'allait quand même pas plaindre une sœur installée dans l'une des plus grandes puissances mondiales! Sa berlue, il n'y pouvait rien. Le tiers-monde ne peut voir les plaies de l'Europe, les siennes l'aveuglent; il ne peut entendre son cri, le sien l'assourdit. Avoir un coupable atténue la souffrance, et si le tiers-monde se mettait à voir la misère de l'Occident, il perdrait la cible de ses invectives. Pour Madické, vivre dans un pays développé représentait en soi un avantage démesuré que j'avais par rapport à lui, lui qui profitait de sa famille et du soleil sous les tropiques. Comment aurais-je pu lui faire comprendre la solitude de l'exil, mon combat pour la survie et l'état d'alerte permanent où me gardaient mes études? N'étais-je pas la feignante qui avait choisi l'éden européen et qui jouait à l'éternelle écolière à un âge où la plupart de mes camarades d'enfance cultivaient leur lopin de terre et nourrissaient leur progéniture? Absente et inutile à leur quotidien, à quoi pouvais-je servir, sinon à leur transvaser, de temps en temps, un peu de ce nectar qu'ils supposaient étancher ma soif en France? Le sang oublie souvent son devoir, mais jamais son droit. Il me dictait sa loi. Ayant choisi un chemin complètement étranger aux miens, je m'acharnais à tenter de leur en prouver la validité. Il me fallait « réussir » afin d'assumer la fonction assignée à tout enfant de chez nous : servir de sécurité sociale aux siens. Cette obligation d'assistance est le plus gros fardeau que traînent les émigrés. Mais, étant donné que notre plus grande quête demeure l'amour et la reconnaissance de ceux que nous avons quittés, le moindre de leurs caprices devient un ordre. *N'oublie pas de regarder la finale du 2 juillet.* A partir de ce moment-là, je me suis sentie investie d'une mission sacrée. Mon attention était confisquée, seuls des souvenirs liés à Madické et à son environnement arrivaient à s'imposer dans ma tête.

3

La passion de mon frère pour le football est née assez tôt. Enfant, notre mère lui avait offert une petite balle en caoutchouc qu'elle avait achetée en ville. Il apprit à marcher et à taper du pied en même temps. Lorsqu'il tombait, il rampait jusqu'au ballon, se remettait debout et tapait dessus avant de retomber. Notre mère l'encourageait en l'applaudissant :

— Bravo, mon fils, tu es un champion !

Il recommençait, en y mettant encore plus de cœur. Avec les années, ses pas s'étaient affermis, ses tirs avaient gagné en précision, et ça commençait à manquer d'intérêt de taper seul sur le ballon rond. A l'école coranique, il attendait impatiemment la récréation pour jouer avec ses camarades. Malgré les prêches du maître d'école, qui réprouvait le football, le jeu se prolongeait à la sortie des cours. Un vrai ballon, il n'y en avait pas souvent. Débrouillards, comme tous les enfants du tiers-monde, les garçons ramassaient des chiffons ou des éponges et les mettaient en boule dans un sac en plastique pour satisfaire leur passion. La nature du ballon pouvait varier d'une semaine à l'autre, les règles du jeu être écorchées de temps en temps – il arrivait que des techniques de lutte traditionnelle fassent irruption sur le terrain –, mais la pratique de leur sport favori relevait du sacerdoce et ils ne laissaient rien l'entraver longtemps. Personne ne pouvait les empêcher de se rendre sur ces terrains vagues d'où ils revenaient exténués, couverts de poussière, les pieds truffés d'épines.

Longtemps, leurs aînés, qui fréquentaient l'école primaire française, furent leurs seuls modèles. Ces derniers, organisés en équipes et entraînés par l'instituteur, se faisaient appeler sur le terrain du nom de leurs idoles françaises. Les quelques noms à consonance africaine qu'on entendait étaient ceux des rares enfants du pays jouant à l'étranger, en France pour la plupart. Ainsi, tous les samedis après-midi, le capitaine Michel Platini et compagnie soulevaient la poussière de Niodior pour le plus grand bonheur de leurs petits spectateurs, toujours admiratifs. Jamais les gamins ne manquaient ce rendez-vous hebdomadaire. Mais, un samedi

– c'était bien avant mon départ pour la France –, Platini et ses coéquipiers jouèrent sans entendre l'habituelle clameur qui les exaltait. Les petites dunes de sable en bordure du terrain, encore bosselées d'avoir porté la foule du dernier match, assistaient muettes à la rencontre. Seul le sifflet de l'instituteur ponctuait leurs actions qui déclenchaient, auparavant, les applaudissements et les dithyrambes d'un public conquis. Le match fut plus éprouvant qu'à l'accoutumée. Démotivés, les joueurs sentaient le sable les engloutir jusqu'aux chevilles et s'en dégageaient de moins en moins vite. Malheureux celui qui lit sa gloire dans le regard versatile du public ! Lorsque retentit le dernier coup de sifflet, le capitaine Platini aux cheveux crépus et ses comparses ignoraient encore qu'un événement de taille venait de bouleverser la vie de l'île.

Le village venait d'accueillir sa première télévision ! L'homme de Barbès, arrivé la veille au soir, avait attendu le milieu de l'après-midi, peu avant l'heure habituelle du coup d'envoi, pour défaire ses valises. D'une de ses malles magiques il avait sorti cet appareil étonnant, devant les yeux ronds de ses quatre épouses flanquées de bambins qu'il ne connaissait que de nom. La nouvelle se répandit comme une traînée de poudre et les enfants ne furent pas les derniers à accourir. Pour la première fois de leur vie, la majorité des habitants pouvait expérimenter cette chose étrange dont ils avaient déjà entendu parler : voir les Blancs parler, chanter, danser, manger, s'embrasser, s'engueuler, bref, voir des Blancs vivre pour de vrai, là, dans la boîte, juste derrière la vitre. Le spectacle se prolongea jusque tard dans la soirée. Quel ne fut pas leur étonnement lorsqu'ils virent un de leurs compatriotes donner des nouvelles du pays et de l'étranger avec des images à l'appui! Ainsi, les Noirs aussi savaient se servir de la magie des Blancs! La seule déception, car il y en avait une, c'était l'impossibilité de comprendre, malgré son jeu de mains, ce que baragouinait le journaliste. Des regards interrogateurs se tournèrent vers Ndogou; renvoyée du collège pour redoublements fréquents, elle était revenue au village et ne travaillait pas encore au télécentre, inexistant à l'époque. Alors elle faisait la traductrice :

« L'avion présidentiel a décollé de l'aéroport international de Dakar, ce matin à 8 heures. En effet, le Père-de-la-nation, accompagné de notre aimable ministre de l'Equipement, inaugure aujourd'hui, à Tambacounda, une pompe à eau offerte par nos amis les Japonais. En fin de journée, Son Excellence, monsieur le Premier ministre, s'est rendu au port autonome de Dakar pour réceptionner un cargo de riz offert par la France, afin de secourir les populations de l'intérieur du pays touchées par la sécheresse. La France, un grand pays ami de longue date, fait savoir, par la voix de son ministre des Affaires étrangères, qu'elle s'apprête à reconsidérer prochainement la dette du Sénégal. Santé maintenant : notre ministre de la Santé note une nette recrudescence du paludisme avec l'arrivée des premières pluies. Des équipes de médecins stagiaires, appelées familièrement médecins de brousse, seront envoyées prochainement dans les zones rurales. Enfin, pour terminer ce journal, sachez que nos braves Sénefs (Sportifs nationaux évoluant en France) s'illustrent de plus en plus dans le tournoi des clubs français, comme le démontrent ces quelques images de nos confrères de France 2. Selon le ministre de la Jeunesse et des Sports, ils devraient bientôt revenir au pays pour s'entraîner avec les autres joueurs de l'équipe nationale, en vue de la Coupe d'Afrique des Nations. Mesdames, mesdemoiselles, messieurs, bonsoir. »

L'interprète n'eut pas besoin de traduire cette dernière phrase : tout le monde se fendit d'un ample « Bonsoir », une vieille dame fit même un signe de la main au journaliste, dont l'image resta un instant déformée et tremblotante. Bien sûr, cela faisait plus de trente ans que Jean Frémont avait bricolé sa télévision, mais nos cameramen à nous en étaient à leurs balbutiements. L'image était encore aussi capricieuse que mystérieuse.

Madické et ses copains s'extasièrent à la vue des beaux stades et du court reportage ; quelques scènes furtives, un bref récapitulatif des matchs français de la veille : un Sénégalais avait marqué un but, après avoir fait bouffer la pelouse au grand blond qui voulait empêcher sa consécration.

Les adultes restèrent sans réaction. Ils préfèrent la lutte traditionnelle au foot et ne se sentaient pas vraiment concernés par les nouvelles qu'ils venaient d'entendre. Ici, on n'a pas besoin d'une pompe à eau, même japonaise. Nichée au cœur de l'océan Atlantique, l'île de Niodior dispose d'une nappe phréatique qui semble inépuisable ; un petit nombre de puits alimente tout le village. Il suffit de creuser quatre à cinq mètres pour voir jaillir une eau de source, fraîche et limpide, filtrée par le grain fin du sable. Nul n'attend non plus quelques kilos de riz français ; cultivateurs, éleveurs et pêcheurs, ces insulaires sont autosuffisants et ne demandent rien à personne. Ils auraient pu, s'ils l'avaient voulu, ériger leur mini-république au sein de la République sénégalaise, et le gouvernement ne se serait rendu compte de rien avant de nombreuses années, au moment des élections. D'ailleurs, on les oublie pour tout, le dispensaire est presque vide ; la malaria, ils s'en remettent grâce aux décoctions. Le président Père-de-la-nation n'a qu'à offrir sa paternité à qui la lui demande, ici personne n'attend rien de sa tutelle. Bref, on se moquait du gouvernement comme de ce que pouvait en raconter le journaliste !

Au bout de quelques semaines, chacun s'était fait une idée des programmes télévisuels et venait en fonction de ses centres d'intérêt.

Des nuits passèrent, étayées par la lumière bleutée du petit écran. Des saisons s'écoulèrent dans les bras de mer. Les années se succédèrent, écourtant le temps imparti aux vivants et rallongeant les muscles des jeunes footballeurs. L'Atlantique, fidèle, suçotait toujours les pieds de la belle île, mais le Platini local et ses coéquipiers n'avaient plus de spectateurs. Des joueurs vus à la télé les avaient remplacés dans le cœur de leurs jeunes fans. Petit à petit, la fièvre du foot avait saisi tous les adolescents du village. Selon les affinités, ils constituèrent des équipes auxquelles ils restèrent fidèles durant toute leur jeunesse. Celles-ci portaient des noms de clubs français, chaque enfant s'y faisait appeler du nom de son héros favori. Sur les terrains sableux, délimités par quatre bouts de bois ramassés à la hâte pour faire des buts, on pouvait donc voir le Paris-Saint-Germain affronter Marseille, ou Nantes écraser

Lens, quand Sochaux ne peinait pas contre Strasbourg.

Pourtant, la télévision montrait aussi d'autres grands clubs occidentaux. Mais rien à faire. Après la colonisation historiquement reconnue, règne maintenant une sorte de colonisation mentale : les jeunes joueurs vénéraient et vénèrent encore la France. A leurs yeux, tout ce qui est enviable vient de France.

Tenez, par exemple, la seule télévision qui leur permet de voir les matchs, elle vient de France. Son propriétaire, devenu un notable au village, a vécu en France. L'instituteur, très savant, a fait une partie de ses études en France. Tous ceux qui occupent des postes importants au pays ont étudié en France. Les femmes de nos présidents successifs sont toutes françaises. Pour gagner les élections, le Père-de-la-nation gagne d'abord la France. Les quelques joueurs sénégalais riches et célèbres jouent en France. Pour entraîner l'équipe nationale, on a toujours été chercher un Français. Même notre ex-président, pour vivre plus longtemps, s'était octroyé une retraite française. Alors, sur l'île, même si on ne sait pas distinguer, sur une carte, la France du Pérou, on sait en revanche qu'elle rime franchement avec chance.

Seul Madické avait dérogé à la règle et jeté son dévolu sur une équipe italienne, le Milan AC.

Minoritaire, il avait consenti à jouer aux côtés de ses camarades d'enfance au sein d'une équipe au nom bien français. Mais, parce qu'il s'appliquait toujours à reproduire les actions, la gestuelle du capitaine du Milan AC, ses copains, pour le taquiner, lui assignèrent le surnom de Maldini. Loin de s'en offusquer, il s'en trouva honoré et organisa toute sa vie autour de sa nouvelle identité. De simple fan, il était passé au grade supérieur de double. Il ne portait plus que le numéro de Maldini et jouait au même poste que lui. Entre semailles et récoltes, les maillots Maldini remplacèrent l'essentiel de sa garde-robe ; même hors des terrains de foot, on le reconnaissait à sa tenue. S'il partageait la passion du foot avec tous ses copains, Madické se sentait néanmoins isolé du groupe lorsqu'il s'agissait d'un match opposant l'Italie à la France. Dans cet univers irrémédiablement francophile, ses pronostics à lui n'étaient pas les bienvenus. Aussi avait-il appris à les taire, même lorsque l'Italie affrontait un autre pays. En ces occasions-là, seul le vieux pêcheur venait lui imposer ses palabres. Madické n'aimait pas trop ces conversations ou, plutôt, il s'en était lassé, car elles étaient rarement désintéressées.

Le vieux voulait toujours des informations bien précises sur différents matchs. Accroché à lui comme une ventouse, il ne le lâchait qu'après en avoir obtenu un récit détaillé. A l'inverse des jeunes qui vantaient ouvertement leur équipe préférée, le vieux, à l'image de Madické, gardait ses paris secrets. Sa pêche l'empêchait parfois d'aller voir certains matchs importants à la télévision. Il avait donc pris l'habitude de demander les résultats à Madické, mais jamais ceux d'une équipe particulière. Il s'informait sur le jeu de Sochaux, de Strasbourg, de Nancy, de Nantes, de Marseille, etc. Il était heureux lorsque l'équipe à propos de laquelle il se renseignait avait perdu, et triste lorsqu'elle avait gagné. Mon frère ne savait plus à quel interrogatoire s'attendre. Lui était fan de Maldini, du Milan AC, et non de tous ces clubs français! Il en avait assez de répondre aux multiples questions d'un supporter aussi infidèle. Il était déjà assez intrigant que ce bonhomme, au lieu de rejoindre ceux de sa génération sous l'arbre à palabres, s'incrustât parmi les jeunes pour parler de football, mais plus bizarre encore qu'il se comportât comme une vraie girouette.

— Enfin, c'est laquelle ton équipe préférée? avait fini par interroger le jeune homme.

— Oh, je les aime toutes, bredouilla le vieux pêcheur, j'aime le beau jeu.

— Oui, mais il doit bien y avoir une équipe qui, d'après toi, joue mieux que les autres, non?

– Non, c'est variable, fiston. La vie serait ennuyeuse si le génie ne faisait plus sa ronde, si le talent devenait exclusif...

Madické avait compris : ce genre de phrasé, c'est la digue que les vieilles personnes construisent pour dévier le fleuve impétueux des questions. Comme un mollusque touché dans sa chair se retranche dans sa coquille, le vieil homme s'était abrité derrière le mystère des mots. Après quatre tapes amicales qui voulaient dire : *je-t'ai-ber-né*, il prit congé de son jeune camarade, emportant avec lui son secret qu'il croyait inviolable. C'était sans compter sur les commérages et la perspicacité de Madické. Sur l'île, rien ne se dit vraiment, on puise les nouvelles avec l'eau du puits et tout le village boit à la même source. Les histoires de famille, même très anciennes, flottent toujours dans les bassines des femmes, qui les mijotent ensuite à leur manière. Surtout, n'allez pas penser que leur cuisine pue! Ce n'est que l'océan Atlantique qui déverse sa fange sur les bords de l'île! En tendant bien l'oreille, on pouvait entendre, dans le bruit des vagues, l'histoire du vieux pêcheur.

Dans sa jeunesse, il était beau et vigoureux. Lutteur reconnu, il sillonnait le pays pour participer à des tournois qu'il gagnait souvent. Célèbre et convoité, il aimait, dit-on, les plaisirs de la chair.

Nombreuses étaient celles prêtes à satisfaire son appétit de champion. Ce fut donc naturellement qu'il multiplia les conquêtes. Généreux, il tenait à honorer celles qu'il trouvait dignes de l'être, et presque toutes l'étaient car les beautés sommaires n'osaient se mêler aux parades que suscitait son arrivée. En pleine carrière, l'un de ses tournois se solda par la naissance d'un magnifique garçon. Un peu plus de neuf mois après son retour, la jeune mère, accompagnée de ses parents, était venue de son village lui présenter son fils. Il refusa la paternité sans ménagement; aveuglé par sa gloire, il ne voulut point s'encombrer d'une famille et s'arrêter en si bon chemin. Ses parents appuyèrent sa décision : leur fils ne pouvait épouser une jeune femme qui accordait ses charmes à un amant de passage. Couverte de honte, la pauvre, qui espérait épouser un champion, s'en retourna avec les siens, aussi discrètement qu'elle était venue. Fille mère, elle fut dénigrée, puis mise au ban de la communauté, et finit par s'exiler avec son fils en ville. Certains supposent qu'elle y faisait la bonne pour gagner sa vie, d'autres imaginent une activité beaucoup moins avouable. Mais, dans le désert, on peut toujours tomber sur une oasis. Comme elle était belle et dégourdie, un citadin succomba à son charme et mit fin à son calvaire. Il était beaucoup plus vieux

qu'elle, mais la différence d'âge ne la gênait pas
C'était un riche commerçant sans descendance, ravi
d'accueillir mère et fils et de s'improviser père. Qui
prend la poule accepte ses poussins! Elle l'épousa,
mais préféra que son fils gardât le nom de son vrai
père. Limité dans ses prérogatives, l'époux, quelque
peu froissé, mit pourtant tout en œuvre pour la
bonne éducation de l'enfant, dont il fit son héritier.
Plus tard, le garçon, qui jouait au foot dans l'équipe
de la capitale, fut engagé par un club français. En
peu de temps, il était devenu l'un des plus illustres
Sénefs. Les reporters, fascinés par son jeu et son
allure de play-boy, vociféraient son nom durant les
matchs. Riche et célèbre, il était considéré au pays
comme un héros. L'enfant de la honte était maintenant reçu chez le chef de l'Etat. *Allah Akbar!* De
son côté, le vieux pêcheur s'était marié, à la fin de
sa carrière de lutteur, avec une demoiselle bien de
chez lui, dont il eut une fille unique.

Madické se posait bien des questions, mais à la
vue de son vieil ami, la confusion s'emparait de lui:
pourquoi ce vieux n'aurait-il pas son équipe préférée comme tous les supporters? Peut-être en avait-il
une, mais laquelle? Ne trouvant pas de solution à
l'énigme, il procéda par recoupement. Qu'est-ce
qui unissait toutes ces équipes à propos desquelles
le vieux l'avait interrogé? Une étincelle jaillit dans

sa tête : toutes avaient joué, successivement, contre le même club français, ce même club où jouait le célèbre Sénégalais ! En ajoutant à cette analyse les bruits qui couraient dans l'île, il fut convaincu de tenir le bon bout : l'homme suivait secrètement la carrière de son fils ! Il avait bien son équipe préférée, mais s'obstinait à ne pas la nommer par gêne ou par peur de valider les rumeurs, en laissant paraître qu'il se mordait les doigts d'avoir abandonné son unique fils. Fin limier, Madické savait maintenant repérer, d'avance, les matchs qui intéressaient le vieux, mais il fit comme si de rien n'était. Le manège continua comme avant. Le vieux posait toujours ses questions avec le même détachement, Madické répondait en feignant l'innocence.

Le secret est un lait sur le feu, il finit par se répandre si on n'y prend pas garde. Toute duperie a une fin. Il n'est pas facile de faire semblant d'ignorer ce que l'on sait. Garçon bien élevé, Madické n'avait pas l'intention de démasquer le vieux. Mais le lait sur le feu, la passion dans le cœur, la pression d'un événement, l'exaltation, et le lait bout et déborde. Nettoyer ? Madické ne le pouvait plus : les mots n'ont malheureusement pas de corps, on pourrait s'y agripper pour les retenir. Alors la phrase se gonfla d'émotion, ondula, s'étira, tournoya et s'en alla exploser à la figure étonnée du vieux pêcheur :

– Ils ont écrasé Bordeaux, trois buts à zéro !
hurla Madické, qui se mit aussitôt la main sur la
bouche.

Le vieux pêcheur, qui venait d'arriver à sa hauteur, sembla soudain avoir le mal de mer ; dans son
regard on pouvait lire : *Qui, ils ? Merde, le petit a
compris !* Il tangua un peu, mais se ressaisit assez vite
pour faire diversion :

– Toi aussi, un de ces jours, tu iras en France
jouer au football, affirma-t-il en regardant son
jeune ami droit dans les yeux.

Les barques tanguent beaucoup mais ne prennent pas l'eau pour autant. Tanguer n'est pas chavirer, dit-on ici. Si Madické l'ignorait encore, le vieux
pêcheur, lui, avait le pied marin et savait surfer sur
la bonne vague. Le regard que le jeune homme
pointait vers lui n'était qu'un point d'interrogation.
Il fallait savourer le moment, l'assaut verbal portait
ses fruits. Après s'être bien délecté de sa touche, le
vieux consentit à justifier ses propos :

– Ben oui, n'est-ce pas pour cela que tu fréquentes l'étranger ? Je t'ai vu dans l'équipe qu'entraîne
l'instituteur. Il paraît qu'il t'apprend maintenant la
langue des Blancs. Tu fais tout ça pour pouvoir
partir, non ? Pas vrai ? Ben moi, je sais qu'un jour tu
iras jouer au football, en France, je l'ai vu dans les
cauris.

Cela faisait déjà quelques années que je résidais en France. Comme tous les villageois, le vieil homme était au courant. Mes premières vacances, en solo, n'étaient pas passées inaperçues. J'étais venue sans l'homme blanc qu'ils avaient d'abord rejeté, avant de l'accepter par manque d'emprise sur moi. Beaucoup s'intéressaient donc à mon couple, en espérant la réalisation de leurs prédictions malveillantes. A mon arrivée, même ceux que je ne connaissais pas avant mon départ vinrent me rendre visite et donner leur avis sur ma nouvelle vie. En dépit d'une satisfaction à peine dissimulée, on me reprocha mon divorce. « L'âne n'abandonne jamais le bon foin », disaient les hommes, à mon passage : si un homme quitte sa femme, c'est qu'elle n'a pas su être une bonne épouse. Des commères sournoises venaient me voir et priaient pour ma fertilité. « L'agriculteur, disaient-elles, attend des récoltes de ses semailles. » Devant mon silence, elles prétextaient leurs multiples tâches ménagères pour laisser la place à un autre groupe. Installées avant d'en avoir reçu l'autorisation, les nouvelles venues se consultaient du regard, puis une voix qui se voulait maternante m'encombrait les oreilles : « L'honneur d'une femme vient de son lait. » Les outres sur leurs genoux attestaient leur respect pour cette thèse millénaire. Quelle bouche aurait osé nommer la pilule devant elles, au risque de se tordre à vie ? Leur dire qu'en Europe on peut programmer et limiter les naissances aurait été perçu comme une provocation. Consciente de l'inutilité de toute tentative d'explication, je supportais, muette, leur présence avec la patience polie que la tradition exigeait de moi. Au bout de quelques visites, l'ingénuité avec laquelle elles s'immisçaient dans ma vie ne me choquait plus. J'enviais leur sérénité, ce confort psychologique qu'elles tiraient sans doute de la fermeté de leurs convictions. Elles semblaient avoir résolu toutes les équations que je trouvais mystérieuses. Menhirs sur le socle de la tradition, le tourbillon du brassage culturel qui me faisait vaciller les laissait indemnes. Elles suivaient leur ligne, je cherchais la mienne vers une autre direction ; nous n'avions rien à nous dire. Le visage solennel, elles repartaient chargées de leurs questions sans réponses, supputant la stérilité, cause majeure de divorces au village.

En dépit des sous-entendus, on se fit humble pour me soutirer qui un billet, qui un T-shirt, au nom d'une coutume — qui empêche bon nombre d'émigrés aux faibles moyens d'aller passer leurs vacances au pays —, selon laquelle la personne qui revient doit offrir des cadeaux ; cadeaux dont la valeur est estimée à l'aune de la distance de provenance et du lien avec le bénéficiaire. Je donnai raison, malgré moi, aux attentes démesurées qu'ils nourrissent à l'égard des « venus de France ». Mes proches souffraient de la convoitise : dès mon arrivée, on les avait imaginés dépositaires d'une fortune. Lorsque je n'avais plus rien à donner, ils se laissaient dépouiller du peu qu'ils avaient reçu, histoire de sauver la face. On échafaudait des plans insensés les concernant. Certains racontaient que j'allais emmener mon frère avec moi, d'autres affirmaient que j'allais le faire venir en France un peu plus tard. J'étais repartie sans donner mon avis. Lorsque le vieux pêcheur parlait à Madické d'un futur départ pour la France, l'avait-il vraiment vu dans ses cauris ou participait-il simplement aux calculs de probabilités qu'effectuait la majorité des villageois ?

Je ne sais pas ce que le vieux pêcheur avait vraiment vu dans ses cauris. En revanche, je sais ce que la passion mûrissante de Madické commençait à me coûter, depuis que j'étais en France. En dehors des heures passées à regarder des matchs pas toujours exaltants, je courais les magasins de sport, la liste des équipements de mon frère à la main. Le téléphone n'était plus seulement le tuyau par lequel France Telecom me suçait le sang, il était devenu mon assommoir. Les demandes tombaient, non formulées, mais savamment insinuées, irrésistibles :

une paire de baskets pour l'entraînement, une autre de crampons pour les matchs, des protège-tibias, une balle en cuir, une coupe pour un petit championnat des équipes de l'île, et, évidemment, un maillot Maldini. Je trouvais tout sauf le maillot, je n'ai jamais aimé les objets de culte !

Mon frère jouait maintenant dans l'équipe du village et disputait des matchs de plus en plus conséquents. Il consolidait ses talents sous l'œil attentif de l'instituteur. Mais leur relation ne s'arrêtait pas là. Madické s'était rendu compte que tous ceux qui partaient jouer à l'étranger parlaient français, pas toujours du meilleur cru, mais du français quand même. Il sollicita donc des cours du soir auprès de l'instituteur. Pour ce citadin qui avait fini d'explorer les curiosités de la vie locale, le bruissement discret des branchages de cocotiers ne suffisait plus à chasser l'énorme cafard niché dans son cœur. Le crépuscule lui apportait un cortège de souvenirs qui se liquéfiaient au fond de ses yeux. Un cours à ce moment de la journée, loin d'être une corvée, représentait pour lui une distraction bienvenue. Et puis, l'enseignement était son sacerdoce : « Il faut semer la graine du savoir partout où elle est susceptible de pousser », disait-il. Et c'est ce qu'il faisait ; il était venu de sa ville semer sa graine dans le sable salé de l'île. L'âme de Godot en lui espérait patiemment la pousse. Pour les enfants, il était « Monsieur Ndétare », les autres se contentant de respecter son rang de fonctionnaire ; mais, au fond d'eux, il n'était que « l'étranger ». Pour rendre service ou pour rompre sa solitude, Ndétare accéda à la demande de Madické qui échafauda d'emblée un plan de carrière sur la seule foi d'une future pratique de la langue française.

– Hé ! Tu te rends compte ? me cria-t-il un jour au téléphone, j'ai commencé des cours de français chez l'instit ! Tu sais, ton ancien instit, monsieur Ndétare, il est d'accord pour me donner des cours du soir. Tu te rends compte tout ce que je pourrai faire après ? Peut-être que... Enfin, voilà quoi. Monsieur Ndétare est d'accord, il est vraiment très sympa. Ben alors, tu ne dis rien, tu ne te souviens pas de lui ?

4

Bien sûr que je me souviens de lui.

Monsieur Ndétare, instituteur déjà vieillissant. Avec une lame pour visage, des fourches en guise de mains et des échasses pour l'emmener faire le fonctionnaire dévoué jusqu'aux confins du pays, là où l'Etat se contente d'un rôle de figurant. Ndétare se distingue des autres habitants de l'île par sa silhouette, ses manières, son air citadin, sa mise européenne, son français académique et sa foi absolue en Karl Marx, dont il cite l'œuvre par chapitre. Syndicaliste, il assure les fonctions de directeur de l'école primaire du village depuis bientôt un quart de siècle, depuis que le gouvernement, l'ayant considéré comme un agitateur dangereux, l'a expédié sur l'île en lui donnant pour mission d'instruire des enfants de prolétaires.

Bien sûr que je me le rappelle.

Je lui dois Descartes, je lui dois Montesquieu, je lui dois Victor Hugo, je lui dois Molière, je lui dois Balzac, je lui dois Marx, je lui dois Dostoïevski, je lui dois Hemingway, je lui dois Léopold Sédar Senghor, je lui dois Aimé Césaire, je lui dois Simone de Beauvoir, Marguerite Yourcenar, Mariama Bâ et les autres. Je lui dois mon premier poème d'amour écrit en cachette, je lui dois la première chanson française que j'ai murmurée, parce que je lui dois mon premier phonème, mon premier monème, ma première phrase française lue, entendue et comprise. Je lui dois ma première lettre française écrite de travers sur mon morceau d'ardoise cassée. Je lui dois l'école. Je lui dois l'instruction. Bref, je lui dois mon *Aventure ambiguë*. Parce que je ne cessais de le harceler, il m'a tout donné : la lettre, le chiffre, la clé du monde. Et parce qu'il a comblé mon premier désir conscient, aller à l'école, je lui dois tous mes petits pas de french cancan vers la lumière.

La classe de monsieur Ndétare n'était jamais fermée. Mais je n'avais pas le droit d'y entrer, je n'étais pas inscrite. Curieuse, intriguée surtout par les mots que prononçaient ses élèves à la sortie des cours — leurs chansons mélodieuses qui n'étaient pas celles de ma langue, mais d'une autre que je trouvais tout aussi douce à entendre —, je voulais découvrir le génie qui apprenait aux enfants scolarisés tous ces mots mystérieux. Alors, j'ai triché, j'ai volé, j'ai menti, j'ai trahi la personne que j'aime le plus au monde : ma grand-mère! Pardon, bon Dieu, pardonnez-moi, mais c'était pour la bonne cause, sinon je n'aurais jamais pu lire votre nom dans tous les livres saints. Merci!

J'ai triché : la maison de mes grands-parents était en face de l'école primaire. Lorsque j'accompagnais ma grand-mère au jardin, je l'aidais sagement à arroser ses plantes, puis j'attendais qu'elle fût occupée à soigner ses tomates, ses choux, ses oignons et autres légumes; feignant alors d'aller me reposer sous le cocotier à l'entrée du jardin, je m'éclipsais. Je déterrais mon ardoise cassée, ramassée à la poubelle, et mes craies – je cachais le tout sous un talus devant le jardin – puis, je filais à l'école en douce.

J'ai volé : pour acheter de la craie, il me suffisait de dérober quelques piécettes à ma grand-mère, elle mettait son porte-monnaie, une petite bourse en coton cousue main, sous l'oreiller.

J'ai menti : lorsque je rentrais, des heures plus tard, j'inventais une histoire qui révélait aussitôt ses failles, et la pauvre dame me répétait son sermon, trop habituel pour m'inquiéter :

– Ah bon! La prochaine fois tu m'avertiras, hein! T'as compris? Si tu t'avises de recommencer, je te le ferai regretter. Entendu?

A l'école, la classe de monsieur Ndétare, je vous l'ai déjà dit, n'était jamais fermée. J'entrais ; il y avait une place vide au fond, je m'y installais, discrète, et j'écoutais. Il écrivait des lettres ou des chiffres étranges au tableau et donnait l'ordre de recopier. Je recopiais. Puis venait le moment où il appelait les écoliers au tableau à tour de rôle ; quand tous étaient passés, moi aussi je décidais d'y aller à mon tour. Monsieur Ndétare s'offusquait, ouvrait le compas géant de ses jambes et se dirigeait vers moi :

– Tu déguerpis tout de suite ! Allons, dehors, tu n'es pas inscrite !

Je sortais en courant. Dès qu'il se réinstallait derrière son bureau, je revenais prendre ma place, à la dernière table. C'était encore l'époque de la méthode CLAD : l'instituteur devait faire répéter aux écoliers des mots, des phrases que diffusait une radiocassette. Dès que tous avaient fini, moi aussi je répétais spontanément, et le cirque recommençait. N'en pouvant plus, monsieur Ndétare m'inscrivit au crayon en bas de sa liste officielle et, dès lors, décida de me faire faire tous les exercices comme aux autres élèves. Il ne me chassait plus, au contraire, il m'accordait une attention toute particulière. Voyant que je me débrouillais bien, il me prit un jour par la main :

— Viens, on va voir ta grand-mère.

— Non, non! Je ne veux pas, je ne peux pas! Elle ne sait pas que je viens encore ici! Lâchez-moi! Lâchez-moi!

— Eh bien, elle va le savoir aujourd'hui!

Elle venait de rentrer de son jardin. Assise sur un banc, elle vidait son panier rempli de légumes.

— Mais qu'as-tu encore fait? Je t'ai cherchée partout, où étais-tu?

— A l'école, répondit monsieur Ndétare.

— Mais enfin, quand m'obéiras-tu? Combien de fois devrai-je te le répéter? Cette école n'est pas un endroit pour toi!

— Justement, madame Sarr, c'est de ça que je suis venu discuter avec vous.

— Oui, je sais, elle n'écoute pas, cette fois-ci je vous assure qu'elle ne viendra plus vous importuner.

— Non, non, ce n'est pas pour ça que je suis là. Je pense que vous devriez la laisser y aller; je suis venu vous demander son extrait de naissance afin que je puisse l'inscrire, si vous voulez bien.

Elle me regarda, stupéfaite. Les fonctionnaires, ici, on s'en méfie. On ne sait jamais ce qu'ils peuvent aller raconter en haut lieu. Contrarier un instituteur, un auxiliaire de l'Etat, surtout à cette époque où le gouvernement encourageait la scolarisation de masse, ça ne venait à l'esprit de personne. Ndétare savait qu'il devait continuer à battre le fer :

— Vous savez, elle se débrouille très bien, et puis ce serait quand même mieux pour elle. Dans un avenir proche, les illettrés ne pourront plus évoluer dans ce pays sans l'aide d'un tiers. Avouez que c'est difficile de devoir demander à quelqu'un de vous rédiger vos lettres, de vous remplir vos papiers, de vous accompagner dans les bureaux pour la moindre démarche administrative. Et puis, têtue comme elle est, elle est capable de nous réussir un certificat d'études.

Après un moment de silence, la doyenne lâcha son verdict :

— Bon, c'est d'accord. Au moins, plus tard, quand elle ira en ville toute seule, elle pourra reconnaître les numéros de bus et lire les noms de rues. Ndakarou, notre capitale, est devenue une ville de Toubabs. Ça lui évitera de se perdre, comme il m'arrive parfois.

Cette réflexion n'eut aucun écho dans ma tête. Pour moi, cette dame qui m'apprenait tout de la vie savait forcément lire et écrire. D'où qu'elle nous vienne, l'intime conviction restera toujours plus poétique, plus forte et plus rassurante que la réalité.

Elle partit dans sa chambre, ouvrit une malle et revint avec une liasse de papiers qu'elle tendit à l'instituteur. Après un tri minutieux, celui-ci s'arrêta, perplexe :

– Vous avez deux petites-filles qui portent le même nom?

– Non. Pourquoi?

– J'ai trouvé deux extraits du même nom, de la même année, mais le mois est différent. La petite, c'est mars ou juin?

– Elle est née au mois des premières pluies, juste au début de l'hivernage, l'année où les étudiants ont saccagé la capitale.

Monsieur Ndétare sourit et prit congé très poliment.

Je continuai à suivre les cours, sans véritable inscription. A la rentrée suivante, un parent qui allait inscrire sa propre fille abonda dans le sens de l'instituteur et aida ma grand-mère à régulariser ma situation scolaire. Au pif, on se décida pour le mois des premières pluies.

Petit à petit, ma grand-mère se passionna pour mes études. Je pensais toujours qu'elle savait lire et écrire, tant elle surveillait mes révisions du soir devant la lampe tempête. Accoudée à la table du salon, je lisais mes leçons à haute voix, puis je fermais les yeux pour essayer de les réciter. Dès qu'elle soupçonnait une hésitation, elle m'ordonnait fermement :

– Relis encore, plusieurs fois, et récite-moi ça mieux !

Alors, je recommençais, encore et encore, jusqu'à ce qu'elle fût satisfaite de la fluidité de ma lecture et de ma récitation. Ce manège anima nos soirées pendant longtemps. Un jour, revenant de l'école, je courus vers elle, mon cahier de composition ouvert à la bonne page :

– Regarde, maman ! C'est le résultat de la composition !

Elle jeta un regard et m'envoya une beigne sans préambule.

– Mais pourquoi me gifles-tu ? Je suis la première de la classe et tu n'es pas contente ?

– Arrête de mentir ! cria-t-elle, j'ai bien vu, il y a du rouge partout, ça veut dire que ton résultat est mauvais !

– Mais non ! Mais non !

Je retournai à l'école chercher monsieur Ndétare, occupé à ranger son logement de fonction. Il vint avec moi et expliqua mes résultats à ma grand-mère, avec moult éloges. Regrettant sans doute la correction injuste qu'elle venait de m'administrer, elle fixa le sol et supplia presque :

– Oh, vous deux, là, laissez-moi tranquille avec vos histoires d'école ! Je n'y comprends rien moi. Je ne sais ni lire ni écrire, alors laissez-moi tranquille.

Son visage était triste. Je me mis à pleurer. Je voulais continuer à partager avec elle mes histoires d'école, mon histoire tout simplement. « Ceux qui ont un bon guide ne se perdent pas dans la jungle », m'avait-elle dit un jour et, depuis, je ne voulais qu'elle comme accompagnatrice. Je voulais mettre mes pas dans les siens. Elle m'avait ouvert la porte du monde et fredonné ma première berceuse.

C'était au tout début de l'hivernage, aimait-elle à me raconter. Un soleil aussi étouffant que la morale était las de torturer les humains et courait se saborder dans l'Atlantique. De lourds nuages couvaient le chagrin d'un ciel qui ne voulait plus retenir ses larmes. La pluie s'annonçait et, déjà, son odeur emplissait les narines. Dans des trous rebouchés à la hâte, des graines d'espoir attendaient de germer pour faire sourire la terre. Les greniers étaient presque vides, et les hommes restaient plus longtemps en mer pour tromper la faim, fuir les pleurs des enfants et les regards plaintifs de leurs épouses. Entre semailles et récoltes, la pêche, c'était plus que jamais tuer pour vivre. Ce jour-là, alors que les femmes s'arrachaient la prise des pêcheurs sur le rivage, ma grand-mère s'occupait à moudre des plantes médicinales dans l'arrière-cour de la maison, étonnamment silencieuse. Son regard inquiet touillait la vieille marmite où elle faisait bouillir des racines qu'elle était allée couper à l'aube, au cœur de la forêt. Elle tamisait d'autres racines séchées et moulues lorsqu'une voix plaintive la fit sursauter ; pourtant, elle s'y attendait depuis quelques jours. Elle courut vers sa chambre pour y prendre plusieurs cotonnades, dont elle tapissa le sol de l'enclos qui lui servait de salle de bains.

Au loin, le premier chant des loups arrachait des prières aux bergers et renvoyait les veaux au flanc de leur mère. Un flambeau passa d'une main à l'autre. Dans l'enclos, la mère cédait à sa fille la clef du plus grand des mystères. La fille, quant à elle, venait d'avoir l'âge de sa mère, dont elle découvrait enfin la grandeur et le courage. L'épreuve de la maternité résorbe l'écart entre les générations de femmes, dit-on sur l'île, et ce n'est qu'après avoir franchi ce cap que les filles respectent vraiment leur mère.

Dans l'enclos, le souffle des cocotiers n'arrivait plus à sécher la sueur qui couvrait la jeune femme accroupie sur la cotonnade blanche. Ma grand-mère lui faisait boire, sans cesse, le bouillon de racines encore fumant. Un ciel borgne dardait l'Atlantique de son œil rouge et lui intimait de livrer au monde le mystère niché dans son ventre. Les premières ombres nocturnes épaississaient la chevelure des cocotiers et longeaient les palissades, lorsqu'un cri retentit. L'unique sage-femme du village était en voyage; imprévisible, j'avais choisi ce moment-là pour naître. Ma grand-mère fit confiance à sa propre expérience, à ses plantes et à son beurre de karité; une sage-femme, elle n'en avait eu que pour son benjamin.

L'île s'était glissée dans la toge noire du crépuscule et la pluie tombait dru, lorsque ma grand-mère me plongea dans une bassine de décoction. « Née sous la pluie, avait-elle murmuré, tu n'auras jamais peur d'être mouillée par les salives que répandra ton passage; le petit du dauphin ne peut craindre la noyade; mais il te faudra aussi affronter le jour. » Alors que je trônais dans ma cotonnade blanche, mes racines poussaient sur la crasse du monde, à mon insu : diluant le sang de ma mère et le ruisseau de mon bain, l'eau de pluie s'infiltrait dans le sol jusqu'au niveau où l'Atlantique se mue en source vivifiante. Cette nuit-là, ma grand-mère veilla sa fille et son enfant illégitime. Impitoyable, le soleil fit fondre la couverture nocturne et nous exposa aux yeux de la morale. Trahie par ma grand-mère, la tradition, qui aurait voulu m'étouffer et déclarer un enfant mort-né à la communauté, maria ma mère à un cousin qui la convoitait de longue date. A défaut de se débarrasser de moi, les garants de la morale voulurent me faire porter le nom de l'homme imposé à ma mère. Ma grand-mère s'y opposa fermement : « Elle portera le nom de son vrai père, ce n'est pas une algue ramassée à la plage, ce n'est pas de l'eau qu'on trouve dans ses veines, mais du sang, et ce sang charrie son propre nom », répétait-elle obstinément aux nombreuses délégations qui la harcelaient. Le mari de circonstance fut vexé par ce refus, en apparence seulement, car il disposait déjà d'une fertile épouse à domicile et ne tenait point à s'encombrer de l'enfant d'autrui. En prenant ma mère comme deuxième femme, il voulait rattraper ses camarades, s'octroyer un supplément de virilité et multiplier sa propre descendance, sans avoir à débourser une dot, les filles mères n'y pouvant prétendre.

Les barricades avaient transformé Paris et déferlaient maintenant dans les rues de Dakar, la jeunesse hurlait sa révolte, John Lennon n'avait pas encore imaginé un autre monde ; à Niodior, l'hivernage battait son plein, et la pluie n'était pas seule à ruisseler sur les joues de ma mère qui taisait sa peine. Chaque fois qu'elle cadenassait son cœur, la nuit, mon beau-père me jetait dehors, seule ou avec elle, par n'importe quel temps. Lorsqu'elle partait à l'aube couper du bois ou chercher de l'eau au puits, il m'emballait dans un pagne et me couchait dans la cour entre les flaques. Parfois, ma mère me trouvait couverte de poussière à cause des vents de sable.

J'alternais les bronchites et les conjonctivites. Mon beau-père comptait sur mes fréquentes maladies pour se débarrasser de l'incarnation du péché, la fille du diable – c'est ainsi qu'il me désignait. Une voisine avait conseillé à ma mère de me garder toujours avec elle, sur son dos. Malheureuse, celle-ci ne semblait pas vouloir me protéger outre mesure. De plus en plus inquiète, la voisine finit par alerter ma grand-mère qui vint rôder, une nuit, autour de la maison de son gendre. Il était tard, lorsqu'elle vit sa fille errer en pleurant, me portant sur son dos. Résolue à me sauver, ma grand-mère m'emmena avec elle. Pour me guérir, elle multiplia les décoctions et les massages au beurre de karité. Comme cela ne faisait pas trop longtemps qu'elle avait sevré son benjamin, elle se remit à allaiter ; son lait revint, abondant, et fit bientôt de moi un bébé rondouillard, plein de vitalité. Parce que l'amour ne se mesure pas, ma grand-mère m'allaita, sans date butoir, jusqu'au jour où, de moi-même, à trois ans passés, je cessai de réclamer le sein. De son côté, ma mère venait d'avoir un fils, Madické, qu'elle considéra comme son premier enfant. Alors *mater* ? La mère à la maternité perpétuelle, ma grand-mère : *madre*, *mother*, *mamma mia*, *yaye boye*, *nénam*, *nakony*, maman chérie, ma mamie-maman, ma mère pour de bon !

De ses douces mains qui ont coupé mon cordon ombilical, qui caressaient ma tête – quand, petite, je tirais la sève de son sein et m'endormais repue dans ses bras –, ma grand-mère n'a jamais cessé de tisser le fil qui me relie à la vie.

Que croit-on m'apprendre en m'expliquant que $E = mc^2$, puisque j'expérimente la théorie de la relativité à l'échelle de ma vie tout entière afférente à cette guelwaar guerrière qui, de ses yeux en amande, m'a ouvert un chemin dans les ténèbres de la tradition ? Peu importe qu'elle ne sache ni lire ni écrire, aucun de mes chemins ne peut s'éclairer sans son sourire.

Il en allait de même pour celui de l'école. Nous naviguions à deux, elle ne devait pas quitter le navire. Après l'histoire du cahier de composition, elle continua à remplir assidûment la lampe à pétrole et assistait, silencieuse, à mes révisions. Elle interrogeait Ndétare, qu'elle traitait maintenant comme un fils, sur mes résultats. L'instituteur ne dédaignait pas cette chaleur humaine, ni les œufs ni les légumes que ma mamie-maman lui portait à profusion à chaque fois qu'elle allait aux renseignements. Ou bien c'était sa façon à elle de ne pas l'importuner gratuitement, ou, peut-être, avait-elle pris pitié de ce pauvre exilé, qui devait lui rappeler l'un de ses fils, alors en France.

Déraciné, Ndétare avait su, dès son arrivée, mettre à profit l'adage sérère selon lequel l'ouïe et la vue seraient les meilleures hôtesses d'accueil. Il avait regardé, longtemps observé ; avait tendu l'oreille, beaucoup entendu et fournissait l'effort nécessaire à son adaptation. Mais son intégration était partielle. Cette société insulaire, même lorsqu'elle se laisse approcher, reste une structure monolithique impénétrable qui ne digère jamais les corps étrangers. Ici, tout le monde se ressemble. Depuis des siècles, les mêmes gènes parcourent le village, se retrouvent à chaque union, s'enchaînent pour dessiner le relief de l'île, produisent les différentes générations qui, les unes après les autres, se partagent les mêmes terres selon des règles immuables. La répartition des noms de famille, guère variés, donne à voir la carte précise des quartiers. Voilà ce qui excluait Ndétare, ce Sénégalais de l'extérieur. Il savait que cette microsociété le dégobillerait toujours pour le maintenir à sa lisière. Il avait remarqué que certains habitants de l'île disposaient à peine d'un QI de crustacé, mais, méprisé, c'était lui, l'intellectuel, qui avait fini par se trouver une similitude avec ces déchets que l'Atlantique refuse d'avaler et qui bordent le village.

Bien sûr que je me rappelle monsieur Ndétare.

Sur sa liste d'appel, il avait remarqué un patronyme, aussi étranger que le sien, porté par une seule personne au village. Il avait pu constater l'attitude méprisante de ses élèves, dès qu'il prononçait ce nom. Comme il savait écouter, il avait entendu, décodé les murmures, lors de ses réunions avec les parents d'élèves : à force de porter sa tête trop droite sur ses épaules, disait-on, cette femme, au lieu de regarder près d'elle, de se contenter d'un fils de bonne famille du village, était allée choisir ailleurs un prince charmant, qui l'avait gratifiée d'une bâtarde. Insulaires géographiques, certains l'étaient aussi dans leur tête et reprochaient à ma mère d'avoir importé ce nom étranger dans le village : aucun des ancêtres fondateurs ne s'appelait ainsi. Les plus modérés se consolaient en déclarant dans un rire sarcastique : « Heureusement pour nous, c'est une fille, elle ne risque pas de propager son nom chez nous. » Ceux que mes résultats scolaires agaçaient répliquaient : « Oui, mais en attendant elle vole la chance de nos petits. Cette étrangère a sans doute un pouvoir occulte. Après tout que savons-nous de son père ? » A l'école, les enfants défendaient les thèses de leurs parents. La cour de récréation se transformait souvent en champ de bataille et monsieur Ndétare avait fini par repérer sa brebis galeuse. Me sortant d'une énième bagarre, il m'avait soufflé :

— Comme moi, tu resteras toujours une étrangère dans ce village, et tu ne pourras pas te battre chaque fois qu'on se moquera de ton nom. D'ailleurs, il est très beau, il signifie *dignité*; alors sois digne et cesse de te battre. Tu devrais rester dans la classe pendant la récréation, et apprendre tes leçons; avec un peu d'efforts, tu quitteras un jour ce panier de crabes.

Pour la première fois j'étais fière de mon nom. Le jour même, j'interrogeai ma grand-mère. Elle confirma la version de Ndétare et, avec un verbe bien à elle, me raconta, sur ma lignée paternelle, une histoire qui me fit redresser les épaules et porter la tête bien droite. Cette histoire, je la répétai mot pour mot à mon beau-père, le jour où, sous l'arbre à palabres, avec tous les hommes de son quartier, il avait osé m'appeler de son nom à lui. J'avais alors dix ans, et depuis il ne m'a plus jamais regardée dans les yeux. Ma grand-mère m'avait appris que si les mots sont capables de déclarer une guerre, ils sont aussi assez puissants pour la gagner.

Ndétare, par solidarité peut-être, porta un soin particulier à mon instruction. Il avait attendu, en vain, une improbable mutation vers les grandes villes où il voulait continuer son activité syndicale. Puis, voyant les années passer, il avait fini par se résigner à labourer nos cerveaux en friche. Lorsque sa solitude menaçait sa raison, il allait s'asseoir au wharf, scrutait l'horizon de ses idées marxistes, que la mer ramenait pourrir à ses pieds. Parfois, en manque de tendresse, il croyait discerner parmi les ombres dansantes du crépuscule la silhouette de Sankèle, son amour d'antan. C'était sa seule histoire d'amour à Niodior, une de ces histoires qui, de temps en temps, vous rendent les yeux rouges. Elle lui avait laissé dans la gorge le goût du sable de l'île et un cœur de poète lyrique dépourvu de muse. Cela s'était passé quelques années après son arrivée ; depuis, il était resté célibataire et ses draps se froissaient autant que ceux d'un abbé. Pour fuir les tête-à-tête avec son moi tourmenté, il se rendait à toutes les cérémonies coutumières, saisissait toute occasion susceptible de l'entraîner dans le tourbillon de la vie villageoise. Mais il avait fini par comprendre qu'ici l'arbre à palabres est un parlement, et l'arbre généalogique, une carte d'identité. Quant à la constitution nationale, elle reste un concept virtuel et on s'en tape comme des dernières bottes de quelque colon téméraire aux rêves fossilisés dans l'abîme de l'Atlantique. Monsieur Ndétare était étranger, et le restait bien des années après son arrivée au village. Sa famille d'accueil, à Niodior, c'était ma grand-mère et les siens. Alors, des cours du soir pour Madické c'était peu de chose en regard de l'énorme reconnaissance que l'instituteur éprouvait pour la seule famille qui lui avait ouvert les bras, une famille qui s'était incrustée dans sa vie par la porte de sa salle de cours qu'il s'obstinait à laisser ouverte.

Comme beaucoup de garçons de l'île, Madické n'avait fait que l'école coranique et ignorait tout des cours de Ndétare. Son père trouvait qu'il était plus utile d'apprendre à connaître Dieu et d'étudier les voies du salut que de s'embarrasser à décoder le langage des Blancs. Adolescent, Madické avait délaissé l'école coranique, comme la plupart de ses camarades. En dehors de la pêche et des activités champêtres, il se consacrait essentiellement au football et à l'apprentissage du français. Pour son salut terrestre, il était prêt à fournir des efforts.

Entraînement, monsieur Ndétare! Monsieur Ndétare, cours de français! Il arrive qu'un individu devienne le centre de votre vie, sans que vous ne soyez lié à lui ni par le sang ni par l'amour, mais simplement parce qu'il vous tient la main, vous aide à marcher sur le fil de l'espoir, sur la ligne tremblante de l'existence. Ami! Frénétiquement. Paisiblement. Merci! Monsieur Ndétare était donc devenu le pivot des rêves de Madické et le sujet de nos discussions téléphoniques :

— Allô! Oui?

— Oui, c'est moi, Madické. Rappelle-moi.

— Tu vas bien? Comment vont les grands-parents?

– Ça va. Je rentre de l'entraînement. Monsieur Ndétare dit que nous avons une chance de gagner la Coupe des îles cette année. Nous avons déjà battu Bassoul, deux contre un.

– C'est pas mal! Est-ce que tout le...?

– Tout le monde va bien. Monsieur Ndétare dit que si nous gagnons la Coupe des îles, certains pourraient intégrer l'équipe régionale. Beaucoup de joueurs sénégalais à l'étranger se sont fait remarquer dans des équipes régionales.

– Ah oui! Bon, tu as reçu le colis? Il y avait tes affaires de sport et des...?

– Oui, on a tout reçu. Monsieur Ndétare dit que j'ai une chance, surtout si je progresse encore en français. Bon, je dois te laisser, il y a un match à la télé, le Milan AC joue à domicile; ils vont assurer comme des bêtes. T'as vu le dernier match de Maldini? Il a une forme incroyable en ce moment. Bon, j'y vais, salut!

Frustrée? Oui! Je l'étais toujours après les coups de fil de Madické. Jamais d'autres nouvelles que les siennes. Egoïste? Dites-le et je viens vous couper la langue. Mon frère n'était pas égoïste, seulement passionné. Montrez-moi un passionné qui se rend compte que son hobby bassine ses interlocuteurs. Madické, vous et moi, nous sommes tous pareils devant la démesure où nous entraînent nos activités favorites. Le bruit d'un cœur qui bat couvre toutes les sirènes de la morale. Un cheval n'entend pas le bruit de son galop. Seul l'œil d'autrui détecte ce bout de morve sèche qui nous pend du nez, ce résidu d'aliment à la commissure des lèvres, cette bouche qui pue, ce brushing raté, cette tenue mal assortie, cette manie de couper la parole, de postillonner, de geindre pour un rien et de s'exalter pour tout, bref, seul autrui voit ce truc qu'on a de travers et qui empêche d'être un ange.

Mon frère galopait vers ses rêves, de plus en plus orientés vers la France. Il aurait pu désirer se rendre en Italie, mais il n'en était rien. Les fils du pays qui dînent chez le président de la République jouent en France. Monsieur Ndétare, qui lui apprenait la langue de la réussite, avait étudié en France. La télévision qu'il regardait venait de France et son propriétaire, l'homme de Barbès, respectable notable au village, n'était pas avare en récits merveilleux de son odyssée.

5

Au clair de lune, à la fin des matchs diffusés à la télé, l'homme de Barbès trônait au milieu de son auditoire admiratif et déroulait sa bobine, l'une de ses épouses passant à intervalles réguliers pour servir le thé.

— Alors, tonton, c'était comment là-bas, à Paris ? lançait un des jeunes.

C'était la phrase rituelle, le verbe innocent dont Dieu avait besoin pour recréer le monde sous le ciel étoilé de Niodior :

— C'était comme tu ne pourras jamais l'imaginer. Comme à la télé, mais en mieux, car tu vois tout pour de vrai. Si je te raconte réellement comment c'était, tu ne vas pas me croire. Pourtant, c'était magnifique, et le mot est faible. Même les Japonais viennent photographier tous les coins de la capitale, on dit que c'est la plus belle du monde.

J'ai atterri à Paris la nuit ; on aurait dit que le bon Dieu avait donné à ces gens-là des milliards d'étoiles rouges, bleues et jaunes pour s'éclairer ; la ville brillait de partout. Depuis l'avion qui descendait, on pouvait imaginer les gens dans leurs appartements. J'habitais dans cette immense ville de Paris. Rien que leur aéroport, il est plus grand que notre village. Avant, je n'avais jamais pensé qu'une si belle ville pouvait exister. Mais là, je l'ai vue, de mes propres yeux. La tour Eiffel et l'Obélisque, on dirait qu'ils touchent le ciel. Les Champs-Elysées, il faut une journée, au moins, pour les parcourir, tellement les boutiques de luxe, qui les jalonnent, regorgent de marchandises extraordinaires qu'on ne peut s'empêcher d'admirer. Puis, il y a de très beaux monuments historiques, par exemple l'Arc de Triomphe, car il faut savoir que les Blancs sont orgueilleux ; et comme ils sont riches, ils érigent un monument au moindre de leurs exploits. Cela leur permet aussi de se souvenir des grands hommes de leur histoire. D'ailleurs, pour ceux-là, ils ont un cimetière de luxe, le Panthéon : un prince pourrait y vivre, dire qu'ils y mettent des morts ! Et puis, leur Dieu est si puissant qu'il leur a donné des richesses incommensurables ; alors, pour l'honorer, ils ont bâti des églises partout, de gigantesques édifices d'une architecture étonnante. La plus illustre d'entre elles, la cathédrale Notre-Dame de Paris, est connue dans le monde entier : treize millions de visiteurs par an ! A côté, notre mosquée a l'air d'une cabane. Il paraît que les grandes mosquées de Dakar et de Touba sont très belles. Je ne les ai pas visitées. C'est marrant, je connais Paris, alors que je ne connais même pas Touba. Des Parisiens venus en vacances au Sénégal m'ont dit que la mosquée de Touba est l'une des plus belles d'Afrique. Un jour j'irai la visiter, *inch' Allah.*

— Et la vie ? C'était comment la vie, là-bas ?

Les jeunes auditeurs n'avaient cure de ses digressions. Ils voulaient qu'on leur parle de là-bas ; là où les morts dorment dans des palais, les vivants devaient certainement danser au paradis. Alors ils pressaient leur narrateur qui n'attendait que d'être éperonné par la pointe de leur curiosité. Evaluant l'intérêt croissant porté à son récit, l'homme de Barbès sirotait une tasse de thé, étalait son sourire édenté et continuait, d'une voix encore plus vive :

— Ah ! La vie, là-bas ! Une vraie vie de pacha ! Croyez-moi, ils sont très riches, là-bas. Chaque couple habite, avec ses enfants, dans un appartement luxueux, avec électricité et eau courante. Ce n'est pas comme chez nous, où quatre générations cohabitent sous le même toit. Chacun a sa voiture pour aller au travail et amener les enfants à l'école ;

sa télévision, où il reçoit des chaînes du monde entier ; son frigo et son congélateur chargés de bonne nourriture. Ils ont une vie très reposante. Leurs femmes ne font plus les tâches ménagères, elles ont des machines pour laver le linge et la vaisselle. Pour nettoyer la maison, elles ont juste à la parcourir avec une machine qui avale toutes les saletés, on appelle ça l'aspirateur, une inspiration et tout est parti. Bzzz ! Et c'est nickel ! Alors, elles passent leur temps à se faire belles. Elles mettent des jupes, des robes courtes, des pantalons et des talons à toute heure de la journée. Elles portent de beaux bijoux, comme ceux que j'ai ramenés pour mes épouses. Et puis, elles aussi sont riches, elles n'attendent pas qu'un homme les nourrisse ou les loge. Pas besoin de payer une dot ou de se ruiner pour se marier, elles te font tout ce que tu veux, et elles ont de l'imagination, crois-moi. Avec leurs yeux de toutes les couleurs, c'est à te couper le souffle. Là-bas, le samedi, on va faire les courses en voiture, dans de très beaux marchés couverts, des supermarchés, où on trouve tout ce qu'il est possible d'imaginer, même de la nourriture déjà cuite, tu n'as plus qu'à la manger. Et dans les restaurants, alors là, c'est incroyable ! Leur cuisine est louée dans le monde entier tellement elle est raffinée. Dans certains restaurants, on peut se servir à volonté.

Dans les maisons, on se nourrit tout aussi bien, de la viande autant qu'on veut. Ils mangent peu de céréales, pas comme chez nous du riz à tous les repas. Ils consomment aussi beaucoup de porc, mais ça, ce n'est pas pour nous, alors moi je mangeais du poulet, de l'agneau ou du bœuf. Bien sûr, ils ont toutes sortes de boissons pour accompagner leurs repas. Et tout le monde vit bien. Il n'y a pas de pauvres, car même à ceux qui n'ont pas de travail l'Etat paie un salaire : ils appellent ça le RMI, le revenu minimum d'insertion. Tu passes la journée à bâiller devant ta télé, et on te file le revenu maximum d'un ingénieur de chez nous! Afin que les familles gardent un bon niveau de vie, l'Etat leur donne de l'argent en fonction du nombre d'enfants. Alors, plus ils procréent, plus ils ramassent. Chaque nuit d'amour est un investissement! J'avais un voisin qui ne travaillait pas, ses deux femmes non plus, mais avec ses dix enfants, tous déclarés au nom de la première, il gagnait plus que moi qui travaillais. Les Blancs n'auraient pas besoin de travailler s'ils faisaient beaucoup d'enfants, mais ils n'aiment pas en avoir autant que nous autres. Là-bas, tout le monde peut devenir riche, regardez tout ce que j'ai maintenant. Là-bas, on gagne beaucoup d'argent, même ceux qui ramassent les crottes de chiens dans la rue, la Mairie de Paris les paie. Je pourrais y passer la nuit, mais vous n'avez qu'à deviner le reste. Tout ce dont vous rêvez est possible. Il faut vraiment être un imbécile pour rentrer pauvre de là-bas.

La lune traversait lentement le ciel de Niodior, hypnotisant les cocotiers, ralentissant le souffle des humains épuisés par une longue journée passée à tenter de survivre. Des bruits de talons animaient le couloir de la grande demeure de l'homme de Barbès. Un cliquetis de bijoux en toc annonçait l'arrivée de sa quatrième épouse, habillée à l'occidentale, qui apportait le dernier service de thé et un plateau de mangues dénoyautées. Elle toisait les auditeurs à peine plus jeunes qu'elle. Si ces derniers n'osaient pas trop la dévisager devant son époux, sa seule présence faisait monter leur désir à fleur de peau. Avec sa généreuse poitrine et son joli derrière, elle était devenue l'objet de leurs discussions secrètes. Bref instant de silence. Le maître des lieux rompit la glace :

– Eh ben! Dis donc, qu'est-ce que tu as mis dans ton thé ce soir? Il est excellent!

Madame se tortillait et se contentait d'un sourire. Peut-être avait-elle mijoté le thé avec quelque gri-gri censé rendre son homme accro, selon les bons conseils de vieilles dames averties.

– Tiens, disait l'homme de Barbès en lui rendant la tasse, vas-y, j'arrive, je crois que j'aurai besoin d'un massage ce soir.

La nuit était toujours profonde quand Madické et ses camarades se dispersaient dans les ruelles du village endormi. En se mordillant la joue, l'homme de Barbès se jetait dans son lit, soulagé d'avoir réussi, une fois de plus, à préserver, mieux, à consolider son rang. Il avait été *un nègre à Paris* et s'était mis, dès son retour, à entretenir *les mirages* qui l'auréolaient de prestige. Comptant sur l'oralité pour battre tous ceux qui avaient écrit sur cette ville, il était devenu le meilleur ambassadeur de France. Le massage de Madame, il n'en avait pas besoin pour stimuler son routoutou – la foule de ses héritiers prouvait bien qu'en dehors des millions il n'avait rien à envier à Rocco –, mais il lui fallait au moins ça pour retarder l'instant du cauchemar où il se voyait affublé du nez de Pinocchio. Si ses courtisans gobaient ses fables, sa conscience le malmenait, car ce n'était pas sans peine qu'il donnait le sel pour sucre, même si, au clair de lune, les deux brillent du même éclat. Cependant, l'ego éclipsant le remords, il refoulait le menteur en lui : quel mal y avait-il à trier ses souvenirs, à choisir méthodiquement ceux qui pouvaient être exposés et à laisser les autres enfouis sous la trappe de l'oubli ? Jamais ses récits torrentiels ne laissaient émerger l'existence minable qu'il avait menée en France.

Le sceptre à la main, comment aurait-il pu avouer qu'il avait d'abord hanté les bouches du métro, chapardé pour calmer sa faim, fait la manche, survécu à l'hiver grâce à l'Armée du Salut avant de trouver un squat avec des compagnons d'infortune ? Pouvait-il décrire les innombrables marchés où, serrant les fesses à chaque passage des pandores, il soulevait des cageots de fruits et légumes, obéissant sans broncher au cuistre boueux qui le payait une bouchée de pain, au noir ? Perpétuel clandestin, c'est muni d'un faux titre de séjour, photocopie de la carte de résident d'un copain-complice, qu'il avait ensuite sillonné l'Hexagone, au bon-vouloir d'employeurs peu scrupuleux. Puis, pour marquer son territoire, il avait pratiqué le marteau-piqueur, de chantier en chantier, par tous les temps. Toujours en CDD. Ses muscles s'étaient affermis, mais c'étaient ses nerfs qui menaçaient de lâcher. Comme son français, incapable d'exprimer les nuances, tenait ses neurones hors jeu, il comprit que son corps était son unique capital et l'investit dans la gonflette. Mastodonte, il banda ses muscles et cibla des emplois bien précis. Doux comme un agneau, ses mâchoires carrées lui dessinèrent bientôt un profil de gardien. La nuit, il affûtait son regard sur la carrosserie des voitures rutilantes qui sommeillaient au sous-sol d'une résidence huppée. Je ne sais qui promenait l'autre, mais avec un chien d'attaque, chacun à une extrémité de la même laisse, il arpentait les allées noires et graisseuses jusqu'au premier « Bonjour, Mamadou » qui signalait la fin de sa faction. Il ne s'appelait pas Mamadou, mais tous les habitants de la résidence le prénommaient ainsi.

D'après Radio Sonacotra, la période synonyme pour lui de sortie des ténèbres, l'apothéose même de sa carrière en France, c'était lorsqu'il passa de maître-chien à chien du maître : vigile dans une grande surface, il errait entre les rayons, se pourléchant les babines devant des marchandises hors de sa portée. Pour se venger de sa frustration, il flairait le voleur parmi ses frères d'itinéraire qu'il jugeait assez arrogants pour faire leurs courses comme les Blancs, ou trop pauvres pour être honnêtes. Plusieurs fois, ses griffes de faucon avaient enserré une proie maghrébine ou africaine, lui garantissant les bonnes grâces de son chef. Ses victimes avaient fini par comprendre que le pire ennemi de l'étranger, ce n'est pas seulement l'autochtone raciste, la ressemblance n'étant pas un gage de solidarité. Alors qu'il commençait à gagner en sérénité, une bande de sa cité décida de lui faire payer son dévouement aux bourges : il laissa deux dents sur le trottoir. Depuis, il attend la souris, et lorsqu'on lui parle des deux perles qui manquent à son sourire, il répond simplement : « C'était un petit accident *dé trawail.* » Le chasseur solitaire est seul à connaître le prix que lui a coûté son gibier. S'il rentre souriant, le village se contente de louer son adresse et sa bravoure. Rescapé, le lion garde ses stigmates sous son pelage lustré. L'homme de Barbès en fit autant, son vernis ne risquait aucune éraflure, il en était sûr : les adultes l'enviaient trop pour lui chercher des poux ; quant aux jeunes, ils n'avaient pas les ongles assez solides pour l'inquiéter. Petits pélicans assoiffés d'azur, ils avaient besoin de ses becquées de couleur pour peindre leur ciel. En le quittant, à la fin de chaque veillée, ils se montraient reconnaissants et respectueux.

Pour rien au monde l'un d'entre eux n'aurait raté la séance d'entraînement du lendemain. Pour eux, il n'y avait plus de mystère, la France, ils se devaient d'y aller. Mais, pour des petits prolétaires analphabètes comme eux, il n'y avait pas trente-six chemins possibles. Le seul qui pouvait les y mener commençait indéniablement, pensaient-ils, au terrain de football ; il fallait le tracer à coups de crampons. Gagner la Coupe des îles du Saloum ne fut plus qu'une formalité, tant la détermination était grande.

La petite équipe niodioroise écrasa ses adversaires les uns après les autres. Pendant un bon bout de temps, les coups de fil de Madické furent sans surprise. Même s'il m'entretenait de ses progrès aux cours du soir et comprenait de mieux en mieux mes petites phrases françaises, intercalées par inadvertance dans nos discussions, il se montrait toujours plus loquace pour le football. Jovial, il annonçait :

– On s'est imposé contre Thialane, un but à zéro.

Ou encore :

– On a éliminé Djirnda, deux à zéro, score assuré dès la première mi-temps.

Et enfin :

– Nous avons pulvérisé Dionewar en finale, trois à zéro, nous avons gagné la Coupe des îles.

Les jeunes avaient le vent en poupe. Monsieur Ndétare, entraîneur comblé, organisait de temps en temps une fête pour féliciter sa troupe de champions. Mais au lieu de s'amuser, la petite bande le harcelait de questions. Est-ce que le sélectionneur régional viendrait les voir jouer ? Qui, parmi eux, avait une chance de rejoindre l'équipe régionale ? Et, surtout, lequel d'entre eux pouvait espérer un jour aller jouer dans un club français ? Cette dernière question agaçait l'instituteur. S'il encourageait leur passion pour le foot, il appréciait modérément leur résolution de s'expatrier. Lui, il aimait le sport, en fidèle de la devise de Coubertin.

— *Citius, altius, fortius!* leur hurlait-il. Plus vite, plus haut, plus fort! Simplement pour le plaisir de participer et la beauté du geste! Aimez le beau jeu et l'esprit d'un sport désintéressé! Aucun but, en dehors du dépassement de soi. Aucun gain, en dehors des applaudissements mérités. Aucune fortune à espérer, en dehors de l'affirmation de soi. C'est ça, le vrai sport, et ça peut être ainsi sous tous les cieux. Pas besoin d'aller jusqu'en France pour ça!

Madické n'était pas plus convaincu que ses camarades, mais par respect il évitait de contredire le maître. Un jeune homme, Garouwalé, surnommé le Pique-feu, le plus effronté d'entre eux, ne s'en privait pas :

— Oui, mais bon, on a quand même besoin de gagner de l'argent. De quoi voulez-vous qu'on vive, sinon? Au moins, en France, tu sais concrètement pourquoi tu joues, on te paie grassement pour ton talent. Il paraît que, là-bas, même ceux qui ne travaillent pas, l'Etat leur paie un salaire. On veut aller en France, et même si on ne fait pas une grande carrière dans le football, on fera comme ce monsieur qui était à Paris, on pourra toujours trouver du travail et ramener une petite fortune.

– C'est pas dit, petit, c'est pas dit. Reviens sur Terre, tout le monde ne ramène pas une fortune de France. Et puis, au lieu d'écouter les sornettes de cet hurluberlu, vous auriez dû demander à Moussa de vous raconter sa France à lui. Lui aussi avait suivi le chant des sirènes...

Et Ndétare se mettait à leur raconter les aventures de Moussa en France.

6

De Moussa, il ne restait qu'une photo jaunie, envoyée de Paris, que Ndétare brandissait devant ses protégés pour authentifier son récit. En effet, de tous les habitants du village, l'instituteur était le seul à détenir la version complète de cette histoire. A son retour, le jeune homme avait fait de lui son confident.

Chaque miette de vie doit servir à conquérir la dignité!

Seul enfant mâle, aîné d'une famille nombreuse, Moussa en avait assez de contempler la misère des siens. Depuis qu'il avait quitté le lycée, faute de moyens, l'avenir lui apparaissait comme une ravine, l'emportant vers un trou noir, car il ne voyait pas quoi mettre à la place du bureau climatisé de fonctionnaire dont il avait tant rêvé. Mais il n'était pas garçon à baisser les bras. «Pour les pauvres, disait-il, vivre c'est nager en apnée, en espérant atteindre une rive ensoleillée avant la gorgée fatale. » A vingt ans, décidé à aller chercher fortune, il quitta le village pour la ville de M'Bour, sur la Petite Côte sénégalaise, où il se fit engager comme matelot dans l'une de ces grandes pirogues qui pratiquent la pêche artisanale. Ambitieux, le jeune pêcheur frappait à toutes les portes. Trop de gens comptaient sur lui pour manger, il ne pouvait se contenter des rendements hypothétiques de la pêche. Après plusieurs tentatives, il réussit à trouver une place dans l'équipe de football de la même ville. Il fut régulier aux entraînements et se donna de tout son cœur lors des matchs. Très rapidement, il se fit remarquer par Jean-Charles Sauveur, un Français qui se disait chasseur de talents pour le compte d'un grand club français. Qui a dit que le bon Dieu est sourd ?

Le recruteur n'eut aucune peine à convaincre le jeune poulain. Il lui avait suffi d'abattre ses cartes : un billet d'avion payé par le club, un logement garanti dans un centre de formation où on l'entraînerait avec les juniors, avant de le propulser vers la gloire au sein du grand club, et, surtout, la promesse d'un salaire mirobolant. Seul l'âge du garçon posait problème. Vingt ans, c'était un peu trop pour rejoindre la formation des juniors. L'épine fut vite ôtée : ici, on peut s'octroyer une deuxième, voire une troisième naissance, il suffit de quelques billets dans le dos du chef de bureau ou en tête à tête avec lui. Et puis on ne refuse rien à quelqu'un qui va en France, c'est une future relation enviable. Jean-Charles Sauveur, en habitué, sortit des francs français au bon moment. Le visa ? Une formalité ! Dans les ambassades aussi, on sait boire son pot-de-vin en silence. Du bon vin français, ça fait mieux passer les cacahuètes. La vie sous les tropiques est si dure ! Un compatriote de passage, ça fait toujours du bien. Bon voyage, messieurs !

Quelques jours plus tard, Moussa tapait un ballon gonflé d'espoir dans un stade français. Ce n'était qu'un entraînement mais, pour lui, c'était le match le plus important de son existence. Pour la première fois de sa vie, il évoluait sur un vrai terrain de football, avec des vestiaires et une pelouse bien verte. De toute sa volonté, il tentait d'émerveiller l'entraîneur français qui scrutait tous ses gestes : « Avec son gabarit, si on arrive à affiner tout ça, ce sera un vrai bulldozer à l'attaque », commentait ce dernier. Il en fut ainsi lors de tous les entraînements qui suivirent. Sous l'œil paternel de Jean-Charles Sauveur, Moussa se sentait investi d'une mission sacrée. Il ne devait pas faillir, Sauveur attendait impatiemment qu'il confirme ses talents pour rentabiliser son investissement. Le soir, au centre, en regardant la télé, Moussa s'indignait de ce marchandage de joueurs et finissait par délirer sur les prix faramineux des transferts : le Real Madrid a acheté ce gars à tant de millions de francs français! La vache! Combien cela peut-il bien représenter en francs CFA? Au moins de quoi s'acheter cinq villas avec piscine sur la côte dakaroise! Même s'il s'amusait à calculer en s'imaginant au cœur d'une telle transaction, ce procédé d'esclavagiste ne lui plaisait guère. Mais il n'avait pas le choix, il faisait maintenant partie du bétail sportif à évaluer. Moussa savait qu'à défaut de se faire engager dans le club qui misait sur lui, il devrait lui-même rembourser à Sauveur les frais engagés, billet d'avion, pots-de-vin, frais d'hébergement, de formation, etc. Alors, il se donnait à fond.

Chaque miette de vie doit servir à conquérir la dignité!

De la France, il ne connaissait que le centre de formation et les pelouses givrées. Pour le tourisme, il verrait plus tard. Après tout, il n'était pas venu en France pour les châteaux. Bientôt, lorsque ses matchs seraient retransmis à la télé, lorsque les enfants de Niodior pourraient admirer ses exploits et qu'il serait enfin convié à la présidence de la République sénégalaise, il pourrait s'offrir, entre deux championnats, un tour de France en Porsche. Aussi adressa-t-il aux siens un courrier qui ne contenait rien d'excitant. Ses parents qui, en allant faire lire sa missive chez Ndétare, attendaient les aventures de Télémaque en mieux, furent assez déçus. C'était une lettre aussi pauvre en contenu qu'un compte rendu du Paris-Dakar par Johnny Hallyday. L'instituteur traduisit ceci

Bonjour, tout le monde. J'espère que vous allez tous bien. Moi, ça va. On s'entraîne tous les jours. Je ne touche pas encore de salaire, mais ce sera pour bientôt. Que le Ciel vous garde ! Priez pour moi.

Outre ces sept courtes phrases, il y avait dans l'enveloppe une photo prise lors de l'unique sortie organisée par le centre pour leur faire voir l'équipe nationale en action. Son père, ivre de colère, jeta la photo à la tête de l'instituteur en maugréant :

— Et voilà ! Mon fils, à peine en France, il a déjà changé. Regardez-moi cet accoutrement ! Et il a le toupet de me parler d'un salaire de footballeur, comme s'il ne pouvait pas se trouver un vrai travail. Des gaillards qui font les cabris entre quatre poteaux, il appelle ça travailler ! Que le Ciel lui ouvre les yeux ! Ndétare, tu vas tout de suite m'écrire une lettre pour lui. Tu mettras exactement ce que je vais te dire.

Pendant que son absence narguait son père, Moussa découvrait la rigueur de l'hiver, les morsures du vent sur sa peau, la rareté du soleil, puis ce rhume prolongé qui l'obligeait, même sur le terrain, à porter souvent la main à son nez. Il découvrait aussi ses compagnons du centre de formation, en majorité des Blancs, pas franchement camarades. Au centre, l'esprit d'équipe, on s'en torchait. Les dents étaient longues, le gibier insuffisant. Les stagiaires savaient qu'ils ne seraient pas tous titularisés. Les quelques places du grand club s'arrachaient à coups de crampons et d'intimidations. Il fallait avoir des nerfs d'acier. Moussa n'avait pas l'habitude d'une telle compétition : là-bas, chez lui, on lui avait appris qu'il ne fallait pas envier, jalouser, ni même rivaliser, que seul Dieu accorde à chacun ce qui lui est dû dans l'existence. Du sport, en dehors de la promesse de réussite, Moussa n'en attendait qu'une franche camaraderie et le respect mutuel. Il ne trouva que calculs sordides et mépris. Sur le terrain, il perdait ses moyens lorsque certains de ses coéquipiers lui hurlaient :

– Hé! négro! Tu ne sais pas faire une passe ou quoi? Allez! Passe le ballon, ce n'est pas une noix de coco!

Aux vestiaires, il y en avait toujours un pour le ridiculiser devant les autres :

— Alors ? Tu ne sais pas faire une passe ? T'inquiète, on t'apprendra, on te fera visiter le bois de Boulogne la nuit, tu seras invisible mais tu pourras tout voir.

— Hé ! les gars ! Peut-être qu'il préfère Pigalle ? Devinez quoi, le mec, il n'a jamais visité Paris et vous savez ce qu'il m'a sorti la dernière fois ? Eh oui ! C'était le temps des confidences, quoi, alors forcément, pour oublier le mal de sa cambrousse, Tarzan s'épanche. Alors, les gars, vous voulez vraiment savoir ce qu'il m'a dit ?

— Eh ! fais pas chier ! criait le caïd. Accouche, qu'on rigole un peu.

— Ben, il dit que c'est un célèbre sculpteur français du XVIIIe siècle, un certain Jean-Baptiste, qui aurait donné son nom à la rue Pigalle ! Vous entendez ça, les mecs !

— On se demande où il va chercher tout ça. Me dis pas que ça discute sculpture sous les bananiers !

— Eh ! si ça se trouve, il était déjà là, lui, à cette époque ! Rappelez-vous, la bonne vieille Lucy vient de chez eux !

— Il ferait mieux de bouger avec le ballon au lieu de faire la statue sur le terrain.

Motivé, Moussa offrait son dos aux blagues déplacées, se retenant de boxer les auteurs des injures et des quolibets. *Mougne : apnée, jusqu'à la rive ensoleillée, tenir !* martelait sa voix intérieure. En bon insulaire, il se consolait avec des mots bien de chez lui : « les vagues peuvent toujours frapper, elles ne feront qu'affûter le rocher ». Les mois passèrent, le rocher de l'Atlantique ne perçait toujours pas le ballon de France. Recruté sur son potentiel d'attaquant, Moussa n'avait jamais inscrit le moindre but, malgré les entraînements intensifs et ses nombreux gris-gris. Lors des vrais matchs, il lui fallait se contenter de lustrer le banc de touche ou de servir de numéro complémentaire, souvent placé à contre-emploi dans des postes qui ne lui permettaient nullement de mettre en valeur ses atouts d'attaquant. Il admirait les vestiaires, appréciait les douches chaudes sous lesquelles il imaginait de belles actions qu'il n'avait jamais pu réaliser. Il s'était même inventé une pose victorieuse avant les glorieux acteurs du Mondial 1998. Non, Moussa ne se serait pas contenté d'un regard vague et d'un doigt posé sur la bouche pour inviter les spectateurs à admirer le merveilleux buteur épaté par son œuvre. Ce numéro de pantomime aurait été peu expressif à son goût. Enfant de la terre et du rythme, il exécuterait un mbalax endiablé avant de se jeter sur la pelouse, peut-être même qu'il ferait trois sauts périlleux pour prolonger les applaudissements. Mais jamais il n'eut l'occasion de concrétiser cette scène, mille fois répétée mentalement. Non seulement le froid lui nouait les muscles, mais il devait fournir d'énormes efforts pour se traîner avec cette boule de nostalgie qui grossissait dans son ventre et ne laissait presque plus de place à la nourriture diététique du centre de formation. Longtemps après la fin de la période d'adaptation qu'on lui avait accordée, ses résultats demeuraient décevants. Le centre ne voulait plus de lui. Sauveur, sentant son investissement en péril, prit les devants.

— Ecoute, champion, lui dit-il, j'ai déjà assez dépensé comme ça, et tu ne progresses vraiment pas. On va arrêter les frais. Tu me dois environ cent mille balles. Il faudra que tu bosses pour ça. Comme tu le sais, ta carte de séjour est périmée. Si tu t'étais bien débrouillé, le club aurait tout réglé en vitesse : mon fric, tes papiers, tout, quoi. Mais là, tu n'as ni club ni autre salaire ; le renouvellement de la carte de séjour, faut même pas y songer. J'ai un pote qui a un bateau, on ira le voir, je te ferai engager là-bas. On ne lui demandera pas beaucoup, ça l'aidera à la fermer. Il me versera ton salaire, et quand tu auras fini de me rembourser, tu pourras économiser de quoi aller faire la bamboula au pays. Tu es un gars solide, tu vas assurer. Mais surtout, chuuut ! N'oublie pas que tu n'as pas de papiers.

Alors, au moindre mot, les bleus t'offriront des bracelets et tu n'auras plus qu'à jouer du jazz à l'ombre Remarque, tu n'as pas besoin de bronzer, toi. Bon, quelqu'un viendra te chercher demain pour te conduire au bateau. Une fois là-bas, c'est terminé, on ne se connaît plus. Motus et bouche cousue! Salut, champion.

Moussa n'eut que la soirée pour plier son peu de bagages. Sauveur avait pris soin de le débarrasser des quelques masques qui ornaient sa chambre. Amer, devant ces murs vides, l'infortuné sembla soudain se réveiller d'une longue torpeur : « Merde, il m'a piqué tous mes masques sacrés, se dit-il. Ce gars est un vrai rapace. Je n'irai pas dans ce foutu bateau, ces gens-là vont me tuer à la tâche et ne me donneront jamais un centime, j'en suis certain. Je ne sais pas où je vais aller, mais je vais foutre le camp d'ici avant qu'ils ne viennent me chercher. » N'arrivant pas à fermer l'œil de la nuit, il prit la dernière lettre de son père et se la relut, à haute voix :

Mon fils, je ne sais pas si tu as reçu mes précédentes lettres, puisque je n'ai toujours pas de réponse de ta part. J'ai vu ta photo, maintenant tu ne portes ni thiaya (pantalon bouffant) *ni sabador* (boubou), *et cela m'inquiète. Ton accou-*

trement cache-t-il d'autres changements de ta per-
sonnalité? Il n'y a point de mutation extérieure
sans mutation intérieure. Je prie donc pour que
ton âme soit restée aussi pure qu'à ton départ.
N'oublie jamais qui tu es et d'où tu viens. Quand
je dis cela, je veux dire que tu dois continuer à
respecter nos coutumes : tu n'es pas un Blanc. Et,
comme eux, tu commences à devenir individua-
liste. Voilà plus d'un an que tu es en France, et
jamais tu n'as envoyé le moindre sou à la maison
pour nous aider. Pas un des projets que nous
avions fixés à ton départ n'est, à ce jour, réalisé.
La vie est dure ici, tes sœurs sont toujours à la
maison. Je me fais vieux et tu es mon seul fils, il
est donc de ton devoir de t'occuper de la famille.
Epargne-nous la honte parmi nos semblables. Tu
dois travailler, économiser et revenir au pays.

A la fin de sa lecture, Moussa s'allongea et se résolut à attendre celui qui devait l'amener audit bateau. Plusieurs fois, il reprit la lettre et en relut la fin : *Epargne-nous la honte parmi nos semblables. Tu dois travailler, économiser et revenir au pays.*

Impossible de se débiner. Il ferma les yeux pour imaginer la force qu'il lui faudrait pour être à la hauteur de ce qu'on attendait de lui. Son voisin de chambre écoutait une musique bruyante, sans mélodie, sans phrase ; il ne savait rien du drame qui tapissait le mur mitoyen. Perdue dans l'univers citadin, chaque tortue traîne sa carapace, au rythme de son souffle. Le monde de la techno n'entend et n'attend personne.

Du calme ! Pour la première fois depuis son arrivée au centre, Moussa tapait du poing. Il se jeta sur son lit, les mains en croix sur sa poitrine. Les yeux clos, il sentit sa vie se dresser devant lui, tel un tronc de baobab, impossible à embrasser. Du calme ! Il lui fallait du calme pour s'inventer un autre destin, une musique pour ses rêves, et mettre les battements de son cœur au diapason d'une réalité purgée du blues. Enfin, du calme ! Mais il n'en avait plus besoin pour entendre la complainte assourdissante des siens. Les échos d'une phrase, que le bourdonnement des vagues déverse sur son village depuis la nuit des temps, résonnaient, ininterrompus, au fond de son crâne : *Chaque miette de vie doit servir à conquérir la dignité !* Et cette phrase lui en imposait une autre : *Tu dois travailler, économiser et revenir au pays.*

Travailler ! Une fois au bateau, Moussa n'avait fait que cela. Travailler, encore et encore, jusqu'à ce que la nostalgie lui suinte des pores. Les seuls parfums qu'il sentait de ce pays, c'étaient le fraîchin qu'exhalaient les fonds de cale et les odeurs lourdes qui émanaient des corps robustes de ses collègues, aussi mal rasés que lui. Pour Moussa, la finesse de la cuisine française ne voulait rien dire. Son estomac ne stockait que les repas, peu goûteux, servis par un cuisinier qui se mouchait avec les doigts en épluchant ses pommes de terre, un matelot qui n'hésitait pas à courir à la tinette entre le plat de résistance et le dessert. Pourtant, en homme stoïque, il s'en contentait en se disant qu'après tout, ce n'était pas si mal d'être logé et nourri. Il pourrait ainsi, après avoir remboursé Sauveur, économiser la totalité du salaire que le patron lui verserait, quand il s'estimerait assez riche pour rentrer au pays. Pendant longtemps, la beauté de la France se présenta à lui sous la forme de quelques lumières multicolores entr'aperçues depuis le port. Lorsque, des mois plus tard, titillé par la curiosité, il profita d'une escale à Marseille pour aller voir de plus près ce qu'il y avait en France en dehors des pelouses de stade et des fonds de cale, les cloches de la vieille ville sonnèrent ses épousailles avec Fata Morgana, le glas de ses rêves. Il ne le savait pas encore, mais chacun de ses pas le rapprochait du lieu de crémation de ses aspirations. Authentique guelwaar, il flânait, altier, les mains dans les poches, les yeux gourmands d'images, les poumons remplis d'aise, se laissant guider par les fantaisies des urbanistes. Il ne remarqua qu'au dernier moment ce comité d'accueil, qui l'avait repéré à son air ébloui et le suivait depuis quelques dizaines de mètres.

— Tes papiers !

Il se retourna, surpris par l'ordre, et vit un képi qui ombrageait des sourcils fournis et deux miniatures d'océan. Un soleil frileux lança un dernier clin d'œil et se retira sur la pointe des pieds pour aller rendre compte à Dieu.

— J'ai dit tes papiers, négro !

— Ils sont chez le patron, dit-il, confiant.

— Quel patron, et puis où ça ? hurla l'autre képi.

— Le patron du bateau, là-bas, au port, assura-t-il.

— Voyez-vous ça, commenta le premier képi, monsieur est un seigneur, il a besoin d'un porteur pour ses papiers ; et ton biberon, il est chez maman, je suppose ? Allons voir ça.

Au port, le patron ignora jusqu'à l'identité de son matelot, mieux, il ne l'avait jamais vu. Citoyen français modèle et honnête patron, il montra ses pattes blanches : le travail au noir, il s'en méfiait comme de la peste, pour sûr.

Moussa, escorté par ses guides en bleu, entama son tourisme administratif sur le territoire français. Il quitta le port alors que les étoiles narguaient l'ombre veloutée de la nuit qui s'évertuait à imposer sa douceur aux humains. C'était l'heure où le mousse devait servir le dîner à ses compagnons de galère qui, désormais, éviteraient de s'aventurer sur la terre ferme lors des escales. Docile, il monta dans la voiture de police en ignorant tout du cachot humide et nauséabond qui l'attendait. Il y passa quelques jours en se disant que n'importe quel lieu de la planète lui serait plus supportable que cette pièce exiguë, où ses illusions, lassées de virevolter, revenaient emmailloter ses membres déjà engourdis. Pêcheur de fortune, il se sentait pris dans les filets du destin. Son horizon se liquéfiait sous ses longs cils noirs. C'était là son triangle des Bermudes. Sahélien, aimant le soleil et la brise océane, il aurait donné n'importe quoi pour gambader, même en Sibérie. Devant la nourriture infecte que le gardien lui apportait, cette déjection de la conscience du pays des Droits de l'homme, qu'il appelait *mouriture*, il en arrivait à regretter la purée à la morve servie sur le bateau. Le plus dur pour lui fut le manque d'activité. Alors, pour s'occuper, il s'allongeait sur le dos et plongeait dans son imagination pour se métamorphoser en araignée tissant sa toile, non pour capturer ses rêves fuyants mais pour combler les nombreuses fissures des quatre murs et du plafond. Il goûtait cet exercice qui lui permettait de relativiser sa notion de l'espace : sa mutation en petite bête rendait gigantesque la superficie dont il disposait et modifiait sa perception du temps. Lorsqu'un passage du gardien le tirait de sa rêverie, l'évidente réalité le remplissait d'amertume. Il devenait nostalgique, et ses projets avortés, telles des danseuses démoniaques, s'exhibaient devant lui. Pour bien leur faire face, il les alignait le long des murs en faisant correspondre chacun à une crevasse. Afin de les examiner les uns après les autres sans confusion, il baptisa chaque sillon du nom d'un projet. Les mots tissaient ainsi, avec une minutie arachnéenne, la ligne nécessaire à l'enchaînement et à la course des idées. Musulman, il nomma les fissures en partant de la droite, selon un ordre décroissant en fonction de ses priorités : construire un grand bâtiment familial ; investir dans l'achat d'une pirogue motorisée pour la pêche au village ; ouvrir une épicerie pour maman, comme ça il y aura toujours de quoi manger ; économiser pour la dot ; acheter des habits pour toute la famille, surtout des bijoux et des parfums de luxe pour la fiancée ; payer aux parents un billet d'avion pour le pèlerinage à La Mecque, etc.

Ses désirs tapissaient peu à peu la cellule et finissaient par lui en cacher les crevasses. Lorsqu'il était fatigué de les contempler, les leçons de son maître d'école coranique révélaient leur unique utilité : le

rapprocher de son Créateur en quelques génu-
flexions. *Allah Akbar!* Le chemin qui mène à ce
Dieu, auquel il rendait grâce cinq fois par jour, était
certainement plus court que la largeur de la carte de
séjour qui le séparait de la liberté et, peut-être
même, de la réalisation de ses rêves. *Alhamdou
lillahi!* Moussa attendait le secours de Dieu.
Inch'Allah! Mais c'est un euphémisme du gouvernement français qui le trouva au fond de son
cachot. Un matin, un policier arriva, sourire aux
lèvres, et lança en brandissant un papier officiel :

— Tiens, voilà ton invitation!

C'était une IQF, une invitation à quitter la
France. Soixante-douze heures plus tard, un avion
le vomit sur le tarmac de l'aéroport de Dakar. Ainsi
était-il rentré, laissant dans sa cellule ses rêves
d'embourgeoisement, enrichi seulement d'une force
de méditation, d'un amour fou pour les araignées et
d'une image de la France jamais vue sur les cartes
postales.

En quête de consolation, il regagna le village
grâce à la générosité d'un proche parent qui avait
daigné lui offrir de quoi payer son ticket pour le
transport en commun. On se réjouit à sa vue, puis
on lui demanda, sans lui laisser le temps de
répondre, pourquoi il n'avait pas prévenu; on
aurait fêté plus dignement son retour! Malgré

l'absence de bagages, personne ne se doutait de son infortune : il avait eu certainement hâte de voir la famille et avait fait affréter ses nombreux bagages, qu'il irait chercher plus tard à Dakar. L'optimisme immola un coq pour remercier les ancêtres et deux canards pour le dîner. L'effervescence suscitée par son arrivée musela Moussa durant trois longs jours de festivités. Ne pouvant plus laisser les siens s'endetter pour l'honorer, il raconta sommairement sa France. L'explosion de la vérité le couvrit de cendres. Il ne brilla plus de la lumière européenne et devint moins intéressant que le plus sédentaire des insulaires. Presque tout le monde le méprisait. Même l'idiot du village s'octroyait le droit de le tancer :

— Tous ceux qui ont travaillé là-bas ont construit des maisons et des boutiques, dès leur retour au pays. Si tu n'as rien ramené, c'est peut-être parce que tu n'as rien foutu là-haut.

Moussa le savait : cet attardé ne faisait que battre effrontément à ses oreilles la mesure d'une musique composée par d'autres. C'est bien connu, l'idiot est toujours le plus franc du village. Il limita ses sorties, évita les lieux publics et se réfugia dans un mutisme dont il ne sortait que lorsque Ndétare l'invitait à prendre le thé. Ayant trouvé, en la personne de l'instituteur, l'unique habitant de l'île à lui manifester encore de l'attention, Moussa en fit son confident et se vautra dans sa compassion. Il l'accompagnait parfois au terrain de football et assistait, muet, aux entraînements. Les jeunes, qui l'avaient idolâtré à l'époque où il était le Platini local, s'occupaient de leur jeu, faisant mine de ne pas le voir. Magnanime, Ndétare n'hésitait pas à mettre un deuxième couvert. Pour fuir les soupirs culpabilisants de ses parents et le dédain trop évident de ses sœurs, Moussa passait l'essentiel de son temps chez l'instituteur.

La marée montait. Les vagues de l'Atlantique frappaient, astiquaient la mangrove, mais, malgré leur insistance, elles n'arrivaient toujours pas à donner à la boue l'éclat du sable blanc des rives ensoleillées. La marée montait. Avec elle, le bruit des vagues qui charriaient la fange. La marée monta. La brise, comme à l'accoutumée, se répandit, nauséabonde, sur tout le village.

Ne sachant pourquoi le gouvernement avait exilé l'instituteur sur l'île, avec interdiction de se rendre en ville, on essaya d'en découvrir les motifs dans son mode de vie. Son amitié avec Moussa renforça les suppositions. Ce citadin, célibataire à un âge où tous ceux de sa génération regardaient grandir leur descendance, avait vécu chez les Blancs pendant une bonne partie de ses études. Moussa aussi était transformé depuis son retour de ce pays. Pour que ces deux hommes se fréquentent si assidûment, il devait y avoir une raison autre qu'une banale amitié. Plus d'un villageois avait affirmé les avoir vus se promener ensemble à la brune. Ils devaient probablement se livrer, en secret, à des pratiques malsaines ramenées du pays des Blancs. Et c'était ça, disait-on, qui les tenait à l'écart des autres membres de la communauté. La marée monta de plus belle. Bientôt la palissade imbibée d'eau eut du mal à tenir debout sur la boue. Lentement, mais inexorablement, elle se mit à ployer. Moussa pouvait l'entendre murmurer : « Atlantique, emporte-moi, ton ventre amer me sera plus doux que mon lit. La légende dit que tu offres l'asile à ceux qui te le demandent. »

Petit, Moussa, comme tous les natifs de l'île, avait entendu cette légende.

Jadis vivait au village un homme qui répondait au nom de Sédar. Un jour, sa belle-mère, qui lui reprochait de ne pas lui avoir donné de descendance, révéla son impuissance sur la place publique. Vexé, le gendre sortit du village. Arrivé à la plage, les bras ouverts vers l'Océan, Sédar clama :

— Atlantique, emporte-moi, ton ventre amer me sera plus doux que mon lit !

Les vagues se refermèrent sur lui. Mais son épouse, Soutoura, qui l'aimait passionnément, ne le voyant pas revenir, s'en alla à sa recherche. Il avait plu la veille et elle n'eut qu'à suivre les traces de ses pas sur le sable. Lorsqu'elle arriva à la plage, elle vit les habits de son époux au bord de l'eau et se mit à hurler :

— Sédar! Sédar, mon amour, reviens-moi!

Un dauphin surgit de l'eau et lui dit :

— Soutoura, ma chérie, la terre des hommes est étroite, seul l'Océan peut couvrir ma honte, trouve-toi un autre mari, tendre et bienveillant. J'ai quitté le règne des humains; surtout, ne leur dis jamais ce que je suis devenu, je resterai leur ami et je viendrai rendre visite aux petits que tu engendreras.

Mais il faut savoir tisser le vent pour tresser une laisse aux mots. Afin d'être sûre de ne jamais trahir le secret de son mari bien-aimé, Soutoura se précipita immédiatement dans les flots. Comme Sédar, elle fut à son tour transformée en dauphin. Depuis, on voit les dauphins longer les côtes de Niodior, par deux ou accompagnés de leurs petits. Ils sont restés amis des humains.

N'osant plus se rendre chez l'instituteur, Moussa s'enfermait et se répétait cette légende. Les semaines passaient, identiques. Les jeunes footballeurs, pour soulager leur corps endolori après le match du samedi, allaient piquer une tête à la plage. Sous le soleil crépusculaire, ils chantaient et chahutaient

avec ardeur. La silhouette bienveillante de l'entraîneur devait s'agiter à plusieurs reprises pour les
décider à se rhabiller, à rejoindre leur domicile.
C'était toujours ainsi, sauf ce samedi-là, où Ndétare
n'eut pas besoin de s'énerver pour les obliger à sortir de l'eau.

Le soleil semblait vouloir lisser les rides rougeâtres de la mer, le muezzin appelait à la prière du
soir. Pong! Pong! Rakkasse! Kamasse! Les derniers
coups de pilon tentaient, en vain, de réveiller les
morts, couchés aux deux extrémités du village. Soudain une pirogue, finissant son dernier virage, pencha à tribord pour pointer sa proue vers le wharf. A
sa vue, le groupe de jeunes se fendit en deux rangées qui se refermèrent aussitôt sur son sillage.

Le sable de la plage respirait la miséricorde. Plat,
blanc, fin et poreux, il laissait les vagues venir timidement sucer son âme. Quelques débris de bois et
autres détritus dérivaient vers le large sur la crête
des vagues qui dansaient à reculons, en espérant un
retour improbable sur la terre ferme. Les palétuviers
bordant la plage pointaient leurs branchages vers le
sol, comme autant de drapeaux en berne. Ces
arbres, qui inlassablement contemplent leur ombre
lorsqu'ils ne se confondent pas avec elle, étaient
figés là dans l'espoir de voir un jour revenir vers eux
leurs feuilles, leurs branches, tous ces bouts d'eux-

mêmes avec lesquels la mer se retirait. Cette attente ne serait peut-être pas vaine, car la mer sait rendre à la terre ce qui lui appartient.

La pirogue accosta. La brise soufflait sur les plaies des vivants. Silencieux, deux pêcheurs débarquèrent leur cargaison. Les jeunes footballeurs s'approchèrent. Sur le wharf, un homme était allongé, les bras vigoureux ; vu de loin, il ressemblait à un baigneur au repos. Seuls ses habits entrouverts révélaient qu'il n'avait pas choisi d'être là, encore moins dans cette posture. Non loin du village, juste à l'endroit où l'île trempe sa langue dans la mer, les pêcheurs avaient pris dans leurs filets le corps inerte de Moussa.

Même l'Atlantique ne peut digérer tout ce que la terre vomit. *Allah Akbar!* A la mosquée, on avait fini de prier. Le prêcheur ponctua son prône par ces mots : *Chaque miette de vie doit servir à conquérir la dignité!*

La mémoire de Ndétare non plus ne pouvait digérer l'aventure de Moussa, qui lui remontait à la gorge chaque fois que ses poulains, prétextant leur passion pour le football, se laissaient aveugler par la chimère tricolore. En bon pédagogue, il avait noyé son amertume au fond de son œil cartésien et utilisait cette histoire comme exemple dissuasif.

— Méfiez-vous, petits, concluait-il, allez regarder la télévision chez l'autre parvenu, mais de grâce, n'écoutez pas les sornettes que vous raconte cet hurluberlu. La France, ce n'est pas le paradis. Ne vous laissez pas prendre dans les filets de l'émigration. Rappelez-vous, Moussa était un des vôtres et vous savez aussi bien que moi comment il en est sorti...

Madické et ses camarades écoutaient l'instituteur marteler inlassablement les mêmes mots, sans vraiment l'entendre. Les enseignants n'ont-ils pas la réputation de parler beaucoup? Pour les jeunes, Ndétare commençait à vieillir et ne faisait plus que radoter. Alors, lorsqu'il devenait lourd, comme ils disaient, la petite équipe prenait ses distances pour s'adonner à ses rêves. Certains profitaient de cette absence d'entraînement pour aller assister à des matchs en ville, d'autres pour consulter les marabouts spécialisés dans le foot. Avec leurs maigres économies, ils se payaient des gris-gris censés les faire gagner à coup sûr et favoriser un futur départ pour la France. Chaque plante se trouvait investie d'une vertu, et sa cueillette associée à une incantation indécodable. Les décoctions se multipliaient dans les chambres. Des poulets étaient égorgés selon un rituel compliqué. Sous le regard pudique de la lune, un sorcier ténébreux administrait des douches purificatrices très peu orthodoxes. Pour ceux qui n'avaient pas assez d'argent, en vue de dédommager les « savants », les mères, prêtes à tout afin d'améliorer l'avenir de leurs fils, se laissaient dépouiller : « Adieu, parures et boubous de fête ! J'en aurai d'autres, quand mon fils s'en reviendra d'Europe, enrichi ! » Chut ! Ne le répétez pas. Ici, personne ne voit de marabout. Une ombre n'a pas de nom ! La nuit, il n'y a que les esprits qui circulent dans le village.

Pendant ces moments de répit, Madické m'appelait plus souvent, réclamant des magazines de foot. Peu importait la langue dans laquelle ils étaient rédigés pourvu que Maldini y fût à son avantage. Mais il ne se contentait plus de tapisser les murs de sa chambre d'images de son idole. Si ses camarades se servaient du football comme d'un simple prétexte pour atteindre l'Occident et s'y débrouiller dans n'importe quel domaine d'activité, lui voulait aller en France enflammer les stades de son talent. Après tout, n'était-il pas devenu le meilleur élément de l'équipe du village ? Avec un peu de chance, un grand club français le recruterait. Et puis, l'Italie étant juste à côté de la France, il pourrait aller y assister aux matchs du Milan AC, et peut-être serrerait-il un jour la main de son héros. *Inch'Allah !* Ensuite, il retournerait chez lui, satisfait, riche et heureux. Pour lui, la France n'était que la plus courte échelle conduisant au trône de Maldini.

Comme pendant les matchs France/Italie lors desquels il refrénait ses pronostics, il se taisait lorsque ses copains, pour justifier leur désir d'émigrer et clouer le bec à l'instituteur, arguaient d'une liste de projets faramineux. Comment aurait-il pu leur expliquer que lui aussi voulait partir en Europe, pour travailler et gagner sa vie, certes, mais surtout pour une poignée de main?

Ndétare interprétait ce silence comme le maigre résultat de son acharnement pédagogique. En bon enseignant, il se disait que ses tirades restaient utiles, tant qu'il pouvait espérer en sauver un. Et puis, pensait-il, Madické, ramené à la raison, l'aiderait à convaincre les autres d'abandonner leur idée fixe. Pour s'en persuader, il faisait sien un proverbe de l'île qui, à l'origine, circulait pour mettre en garde les parents des jeunes footballeurs contre l'influence occidentale que lui-même risquait d'exercer sur leurs enfants : *Bon converti sera meilleur prêcheur.*

Mais, pour l'instant, Ndétare devait porter la bonne parole, seul et sans grand succès. Les jeunes allaient toujours regarder la télévision chez l'homme de Barbès et rentraient de plus en plus tard. Leur désir d'embourgeoisement augmentait d'une soirée à l'autre, quoique l'instituteur saisît toutes les occasions pour les assommer de sa rengaine :

— Petits, n'écoutez pas les sornettes que vous raconte cet hurluberlu. Ne vous laissez pas prendre dans les filets de l'émigration. Rappelez-vous, Moussa était des vôtres...

7

L'équipe du village commençait à s'émietter. Les garçons aimaient toujours le foot, mais ils supportaient de moins en moins les réflexions de l'entraîneur. Qui était-il pour briser leurs rêves? Ne pouvait-il comprendre qu'ils voulaient sauver leur avenir que le sable de l'île menaçait d'engloutir? Que pouvait-il savoir de leur misère, de leur couscous au poisson tous les soirs, de leurs parents inquiets qui comptaient sur eux pour leurs vieux jours? Dans son logement de fonction, que pouvait-il entendre des sanglots nocturnes de leur maman lorsqu'il n'y avait rien à mettre dans la marmite? Lui, au moins, recevait tous les mois son salaire de fonctionnaire. Il n'avait donc qu'à garder son stoïcisme et ses belles idées pour lui. N'est-il pas facile de philosopher quand on a le ventre plein? Eux en avaient assez de se suçoter les joues et d'inventer des tours de magie pour transformer le poisson séché en steak rouge. Ils étaient plus que déterminés. *Chaque miette de vie doit servir à conquérir la dignité !*

En outre, les arguments de Ndétare étaient faciles à démonter : il accusait l'homme de Barbès d'être un affabulateur par jalousie, ou peut-être avait-il une dent contre lui ; d'ailleurs, ils ne se parlaient pas. Et puis, cette histoire de Moussa, ils commençaient à en avoir assez de l'entendre. Bien sûr, ce pauvre bougre n'avait pas eu de chance, mais ce n'était pas une raison suffisante pour décourager tout le monde. Des émigrés qui avaient réussi, ils en avaient vu en dehors de l'homme de Barbès. D'ailleurs, le natif de l'île le plus fortuné était un ancien émigré, installé maintenant en ville où il avait plusieurs villas. Et celui-là, ils l'avaient rencontré justement lors des obsèques de Moussa. Tous les villageois l'enviaient et, pour une fois, l'homme de Barbès se fit tout petit.

Ce verni de l'émigration répondait au nom d'El-Hadji. On l'appelait ainsi depuis son retour du pèlerinage à La Mecque, mais en réalité il s'appelait Wagane Yaltigué. Avec ce titre honorifique d'El-Hadji, ses trois femmes et ses nombreuses pirogues de pêche, toutes équipées de puissants moteurs, Wagane briguait le rang de notable. Ses pirogues suscitaient l'admiration de ces jeunes footballeurs, tous fils de pêcheurs. Cet homme incarnait, à leurs yeux, la plus belle des réussites. Wagane le savait et s'en délectait. A chacun de ses mouvements, le bruissement de son grand boubou de basin, bien amidonné, rappelait aux villageois tout ce que la vie tenait hors de leur portée : la fortune. Il savait aussi qu'en comptant les jaloux et les haineux, ses ennemis étaient au nombre des poils de sa barbe. Alors, pour attiser leur convoitise, il retroussait de temps en temps les manches de son boubou, découvrant une montre en or qui lançait des reflets moqueurs dans les yeux envieux. Au moment du déjeuner, face à ses voisins autour du bol, Wagane enfournait ses bouchées avec assurance. A la différence de certains, qui baissaient pudiquement la tête, soit pour respecter le deuil, soit pour cacher des dents jaunes ou une mâchoire dégarnie, lui découvrait effrontément ses dents en or.

Avant de s'envoler pour la France, Moussa, lors de son court séjour à M'Bour, avait travaillé dans l'une des pirogues de Wagane. Mais ce n'était pas le seul motif de la venue de cet ancien villageois devenu un riche citadin. Plusieurs fois déjà, ses équipes de pêche avaient perdu l'un des leurs, sans qu'il ne se crût obligé de participer aux obsèques. On peut dire que la mort de certains de ses employés l'avait moins affecté que la perte d'un filet. Après tout, des hommes pauvres, prêts à fouiller le ventre de l'océan Atlantique pour trouver leur pitance, il y en aurait jusqu'à la fin des temps, et il s'en présentait en masse, tous les jours, au port de pêche. Moussa et ses collègues prenaient à la mer tout ce qu'ils pouvaient et lorsque celle-ci se vengeait en engloutissant un ou plusieurs des leurs, le reste de l'équipage, impuissant, se résignait. El-Hadji Wagane Yaltigué reconstituait promptement ses effectifs, en recrutant parmi les dizaines de candidats qui attendaient sur le quai, prêts à risquer leur vie pour quelques daurades. La fréquente disparition d'équipages entiers ne suffit pas pour donner du travail à tous ces hommes, jaloux de voir le soleil faire patiemment l'amour à la mer, une mer qu'ils courtisent des journées durant et à laquelle ils n'ont que leur mélanine à offrir. Bien souvent, cette dame de leurs rêves daigne se livrer à eux, drapée dans une robe de noces bleu ciel dont la traîne dissimule un immense tombeau. C'est sans doute pourquoi Moussa avait voulu trouver autre chose.

Wagane Yaltigué ne jetait pas sa poignée de terre sur n'importe quel mort ; il était venu à Niodior parce que le père du défunt était, malgré sa pauvreté, un dignitaire traditionnel, et que l'on gagnait à être compté parmi ses proches. Ces obsèques offraient à Wagane l'occasion de se pavaner devant un public de choix et de s'avancer vers la cour des grands. Fin stratège, il agissait comme ces personnalités du show-biz qui se rendent aux enterrements plus pour les caméras que pour témoigner une quelconque affection aux disparus. Ainsi, lors du repas, El-Hadji avait naturellement rejoint ceux qui semblaient avoir un statut élevé. On l'assimila aux notables sans trop de réticence. Au fond, les titres de noblesse se sont toujours négociés. Depuis son retour de France, Wagane venait très peu au village, mais chacune de ses arrivées était une fulgurance qui aveuglait tous les habitants. Si les hommes mûrs avaient renoncé à se hisser à sa hauteur, les jeunes, eux, s'imaginaient à sa place. Issu d'une famille très pauvre et peu considérée, il était devenu l'un des hommes les plus puissants de la région et, même si certains insulaires lui opposaient une fierté austère, ils étaient heureux de profiter, en ville, des avantages que leur procurait le simple fait de se réclamer de sa famille. D'ailleurs, c'était pour eux la seule manière de tirer parti de la réussite de ce parent complexé par ses origines, qui les avait abandonnés, disaient-ils, pour aller s'installer en ville.

Pourtant, plus d'un avait déjà bénéficié de son aide en allant le voir incognito. Ce qu'on ne lui pardonnait pas, c'était de n'avoir pas répondu favorablement à des demandes plus coûteuses. Des proches avaient vainement tenté de lui emprunter le prix d'un billet pour envoyer leur fils en Europe. Sachant que les dettes au sein du clan restent souvent impayées, Wagane, en bon gestionnaire, avait fait la sourde oreille. On pliait humblement devant lui, mais dès qu'il avait le dos tourné, les vagues se déchaînaient, charriant les mêmes mots : avare ! égoïste ! Et la houle amplifiait l'écho de ce que les bouches n'osaient proclamer : qu'il crève, il n'emportera pas sa fortune dans la tombe ! Il y eut des ombres nocturnes dans le village. Le marabout veilla tard, glissa des gris-gris dans un crâne, moyennant quelques bas de laine qui laissèrent les comploteurs impécunieux. Mais Wagane respirait toujours le parfum de ses billets malgré les regards accusateurs. Quelle que soit la gourmandise d'un lion, il lui reste toujours assez de cœur pour abandonner la charogne aux vautours : afin de redorer son blason, Wagane laissa une somme à l'imam, une contribution à la rénovation de la mosquée et, pour l'équipe du village, il avait apporté un vrai ballon de football et des maillots plus qu'il n'en fallait. Les jeunes le trouvèrent moderne et généreux. Aux entraînements, on ne parla plus que de lui.

Wagane savait aussi que tout bon notable se devait d'avoir son griot attitré. Au village, le vieux pêcheur, qui lui devait sa pitance, chantait ses louanges envers et contre tous. Wagane lui avait assuré son gagne-pain en lui cédant une vieille pirogue motorisée qui ne pouvait plus s'aventurer que dans les bras de mer. Le ventre plein de carpes gavées de boue, le vieil homme suivait les entraînements de loin. Lorsque les résidus de poisson commençaient à lui démanger les gencives, il interpellait les jeunes pour s'aérer la bouche et énerver l'instituteur :

— Vous voilà adultes ! Ce n'est pas en soulevant gratuitement la poussière que vous deviendrez des chefs de famille respectables. Ce type vous fait perdre votre temps. Regardez Wagane, voilà un vrai modèle ! Un digne fils de chez nous. Il a été jusqu'au bout du monde chercher fortune ; maintenant, il répand le bien autour de lui. Partez, partez où vous pouvez, mais allez chercher la réussite au lieu de rester là, à servir de compagnie à ce dépravé blanchi. S'il avait un fils de votre âge, croyez-vous qu'il le ferait gambader inutilement, comme vous en ce moment ? Oh que non ! Il en aurait déjà fait un fonctionnaire, comme lui, un perroquet savant, payé pour vous inculquer la langue, les coutumes des Blancs, et vous faire oublier les nôtres ! Partez chercher du travail, éloignez-vous de ce masque de colon et n'oubliez pas, mes enfants, *chaque miette de vie doit servir à conquérir la dignité !*

Au grand dam de l'instituteur, le décès de Moussa, au lieu de décourager les jeunes, leur avait permis d'approcher un homme dont la réussite justifiait amplement leur désir d'émigrer. Le vieux pêcheur, comme d'autres d'ailleurs, ne faisait que souffler sur le brasier. Mais cela mettait Ndétare dans une colère si véhémente qu'elle interloquait la petite équipe. Les champions en herbe jugeaient excessive la réaction de leur entraîneur. Ils étaient trop jeunes pour être au courant de ce qui, au-delà de leur divergence d'opinions sur l'émigration, opposait les deux hommes. Perplexes, ils se dispersaient, en laissant les deux adultes se cracher à la figure des mots qui n'auraient jamais dû figurer dans un dictionnaire. Accoutumés à voir l'instituteur calme et conciliant avec les villageois, les jeunes se demandaient pourquoi il se montrait si agressif dès qu'il s'agissait de l'homme de Barbès ou du vieux pêcheur. N'osant lui poser de questions, ils se contentaient de rumeurs locales et partaient vaquer à d'autres occupations. Doué pour la querelle, mais pas téméraire, le vieux leur emboîtait le pas, se soustrayant ainsi à la hargne d'un adversaire plus jeune et plus fort que lui. Ce n'est pas de la lâcheté que de sauver sa peau, dit-on au village, ça relève même de l'intelligence.

Dès que son provocateur avait disparu de sa vue, Ndétare allait éteindre sa colère au débarcadère.

Assis sur le ponton, il regardait les feuilles mortes revenir s'encastrer dans les palétuviers. Les vagues de fin de journée se succédaient, froides et silencieuses, autour de ses jambes trempées qu'il balançait machinalement. Prisonnier, Ndétare l'était doublement : de cette île, qu'il lui était interdit de quitter, mais aussi de sa mémoire qui ne lui avait jamais donné le droit de vivre autre chose que sa mélancolie, depuis si longtemps. Seul, face à l'eau, il dérivait comme une barque vers la mer noire de ses souvenirs.

Cette année-là, Dieu avait béni la terre, multiplié les pluies et libéré les hommes de toute crainte de famine : les récoltes retinrent longtemps les insulaires sur la terre ferme. Lorsqu'ils eurent enfin le temps de mouiller leurs pirogues, les vagues se contentèrent de pousser les bancs de poissons dans leurs filets. Le proverbe sérère, selon lequel Dieu met de la nourriture dans chaque bouche qu'il fend, s'avéra. L'optimisme était de saison, on ne pensa plus qu'à se multiplier. Les longs travaux champêtres, avec l'entraide qu'ils favorisent, rapprochèrent les familles, leur inspirant l'envie de renforcer les alliances. L'année était particulièrement faste, idéale pour célébrer des noces.

Le soir, les jeunes filles sortaient en même temps que les étoiles pour se rendre au Dingaré, la place du village. Là, sous le regard bienveillant de la lune, leur mère à toutes, elles rivalisaient de grâce et d'imagination, en inventant des chansons. Pour rien au monde elles n'auraient loupé ces rendez-vous de danses nocturnes. Dans le huis clos de leurs classes d'âge, elles composaient des rengaines coquines qui les exaltaient, et des poèmes d'amour destinés au prince charmant. Leurs voix de rossignol caressaient la cime des cocotiers ; leurs fines chevilles martelaient le sable tiède ; le roulement du tam-tam rythmait leur destin. Au même moment, à l'intérieur des maisons, les patriarches tenaient, à leur insu, des conciliabules dépourvus de poésie. Selon une loi ancestrale, ils leur choisissaient un époux en fonction d'intérêts familiaux et d'alliances immuables. Ici, on marie rarement deux amoureux, mais on rapproche toujours deux familles : l'individu n'est qu'un maillon de la chaîne tentaculaire du clan. Toute brèche ouverte dans la vie communautaire est vite comblée par un mariage. Le lit n'est que le prolongement naturel de l'arbre à palabres, le lieu où les accords précédemment conclus entrent en vigueur. La plus haute pyramide dédiée à la diplomatie traditionnelle se ramène à ce triangle entre les jambes des femmes.

Seulement voilà, Sankèle, la fille du vieux pêcheur, entendait faire de son triangle le sanctuaire d'un amour libre : un amour consenti au-delà des stratégies communautaires. Sa finesse d'esprit et sa beauté légendaire nourrissaient, chez les siens, l'espoir de tisser des liens avec l'une des familles les plus enviées du village, dont le fils résidait en France. Sankèle avait à peine dix-sept ans lorsque, sans la consulter, son père et ses oncles lui choisirent un époux, l'homme de Barbès, rentré de France pour ses premières vacances au pays. C'était un bon parti, il vivait en Europe, et les siens ne comptaient plus sur d'hypothétiques récoltes. Plus d'un père souhaitait lui livrer sa fille. Et nombreuses étaient les chansons inventées en son honneur par des demoiselles prêtes à le suivre au bout du monde. Mais la belle Sankèle adressait sa mystérieuse poésie à un tout autre prince. Monsieur Ndétare, l'instituteur, était l'élu de son cœur. Et ce fut avec horreur qu'elle apprit, de la bouche de son père, la nouvelle de son *Takke*, ses fiançailles religieuses, célébrées à la mosquée vers la fin du congé de l'homme de Barbès. Sankèle hurla à s'en déchirer les poumons :

— Non, papa! Non, je ne veux pas de ce monstre, trop vieux, trop laid. En plus, il s'en va, loin, trop loin ; je ne l'épouserai jamais, plutôt mourir.

— Ta mère avait dit la même chose, rétorqua-t-il, pourtant, elle m'a donné la plus belle fille du village. Ton fiancé s'en va mais, un jour, il t'emmènera avec lui en France, pour notre bien à tous.

Furieuse, Sankèle exécuta la célèbre danse-tempête que les cocotiers de Niodior imitent encore : tout en pleurant, elle balançait violemment son corps de gauche à droite, d'avant en arrière. Mais ni ses larmes ni son refus de s'alimenter pendant plusieurs jours ne firent vaciller la volonté de son père. Il pensait organiser la cérémonie du mariage dès le prochain retour du fiancé, qui repartait pour deux ans. Le matin, il passait dire bonjour à sa fille. Celle-ci, tapie au fond de sa chambre, répétait invariablement :

— Papa, je ne l'aime pas, papa, je ne veux pas de ce monstre, s'il te plaît, papa...

— Quand la princesse sera seule avec son monstre, dit le conte, elle finira par l'aimer, affirmait-il, sans lever les yeux.

Seule sa mère, rattrapée par ses tristes souvenirs de jeunesse, semblait la comprendre : elle la consolait tout en l'exhortant à se soumettre à l'autorité paternelle. Elle-même avait perdu l'appétit mais, aux heures de repas, elle venait trouver sa fille avec un bol de nourriture fumant. La petite n'y touchait guère, ce qui n'empêchait point la mère de recommencer encore et encore. C'est bien connu, l'estomac d'une mère est dans le ventre de son enfant.

Lassée de supplier son père, Sankèle décida de combattre. D'abord, il lui fallait renouer le contact avec Ndétare, son aimé. Elle avait besoin de son soutien, mais il ne venait jamais la voir, sans doute à cause des yeux qui poussaient sur les murs. En envoyant Ndétare, ce syndicaliste gêneur, dans le ventre de l'Atlantique, le gouvernement espérait le voir sombrer avec ses idéaux. Mais les idées sont des graines de lotus, elles ne dorment que pour mieux pousser. Ndétare tenait bon et labourait vaillamment son champ : enseigner, encore et toujours, semer des idées dans toute cervelle disponible. Il aimait passer des heures à parler à sa dulcinée des grandes figures historiques de toutes sortes de résistances, y compris celles du féminisme. C'était donc très naturellement que Sankèle, pourtant analphabète, avait acquis le sens de la révolte. A la surprise générale, elle se dressa contre sa famille, déterminée à refuser, jusqu'au bout, ce mariage qu'on lui imposait. Bravant les interdits, Sankèle trouva tendresse et soutien auprès de Ndétare. Avec lui, dans un manège bien rodé, elle goûtait discrètement l'ivresse de l'amour partagé. Un délice ignoré par la plupart de ses amies, qui commençaient à s'étonner de ses fréquentes absences lors des danses nocturnes. Sa mère s'inquiétait car elle rentrait de plus en plus tard, longtemps après la dernière note de tam-tam.

Elle l'attendait sur le pas de sa porte, puis, dès qu'elle la voyait surgir des ténèbres, lui lançait d'une voix plaintive :

— Attention, Sankèle! Ne nous couvre pas de honte dans ce village! Tout le monde parle de toi. Si tu fais des bêtises avant ton mariage, nous sommes perdues. Ton père ne me le pardonnera jamais, et toi, il te tuera, c'est la charia.

Les bêtises, Sankèle n'avait pas attendu pour les commettre. Elle avait décidé de faire de Ndétare son premier homme. Cet honneur, elle ne pouvait l'offrir qu'à celui qu'elle aimait. Mais refuser sa virginité à l'étalon qu'on lui avait choisi n'était pas le seul but de sa manœuvre. Puisque la diplomatie se peaufine entre les jambes des femmes, les déclarations de guerre peuvent aussi venir de là. Sankèle le savait. Devenir fille mère était la solution la plus radicale pour réduire à néant la stratégie matrimoniale élaborée par son père.

Ndétare appréciait la démarche. Pour lui, l'étranger condamné à rester sur l'île, c'était le seul moyen envisageable pour arracher la main d'une fille du village à sa famille. Ils continuèrent leurs tendres rencontres nocturnes. La pluie tomba sans cesse et la graine poussa sans avertir.

Sankèle, comblée mais inquiète, avait réussi à cacher son état jusqu'au début du cinquième mois.

Sans gynécologue, ni l'œil délateur de l'échographie, la larve planta ses ventouses et attendit que le corps parlât de lui-même. Sankèle avait su faire taire le sien, en serrant son pagne un peu plus fort. Elle fut trahie par ses seins, devenus des outres pressées d'étancher la soif de vivre d'un nourrisson qui avait oublié de demander la permission de naître. Si sa mère cuisinait plus lentement à force d'imbiber son bois de larmes, son père avait les yeux desséchés par l'Etna niché dans son cœur. Après avoir rossé Sankèle sous le regard impuissant de sa mère, il décréta en maître absolu :

— Tu ne quitteras plus cette chambre jusqu'à, jusqu'à... Enfin, tu resteras ici ! Compris ?

Sankèle avait compris, sa mère aussi : il ne fallait pas que la nouvelle de la grossesse s'ébruitât. Ce qu'elles n'avaient pas compris, en revanche, c'était comment on pourrait, par la suite, tenir secrète la naissance du bébé. La mère tenta de raisonner son mari :

— Mais...

Il bondit vers elle et la musela d'une gifle retentissante en hurlant :

— Tais-toi ! Tu lui as toujours évité les corrections qu'elle méritait ! Et voilà ce que nous vaut ton manque de rigueur ! Cette traînée est bien la fille de sa mère ! Un mot de plus et je te répudie !

Sur ce coin de la Terre, sur chaque bouche de femme est posée une main d'homme. Ainsi soit-il !

Mais la mère de Sankèle n'eut pas longtemps besoin de se forcer au silence. Quelques mois après la menace de son mari, elle perdit définitivement l'usage de la parole.

C'était une nuit de pleine lune, ni Sankèle ni sa mère ne dormaient : quelqu'un frappait à la porte du monde.

Les chiens aboyaient d'une façon inhabituelle. Le hibou chantait ce qu'il savait de plus que les hommes – ici, les mangeurs d'âmes, dit-on, se transforment la nuit en hiboux et signalent leurs forfaits par de longs hululements. La chèvre du voisin léchait son petit. Au loin, des loups guettaient l'agneau imprudemment sorti de son troupeau. La mer, réveillée par la faim, rugissait, mordait la terre et exigeait des Niominkas, comme Minos des Athéniens, son tribut d'humains.

Quelqu'un s'impatientait et cognait à la porte du monde.

Sankèle, en sueur, gémissait dignement. Il lui était interdit de crier sa douleur, puisqu'elle était tenue responsable de la plus grande des peines : le déshonneur familial.

Quelqu'un forçait la porte du monde.

Sankèle s'agrippa à sa mère, serra les dents et se mit à geindre :

– Hummm! Ma-man!

– Tais-toi! ordonna son père, posté derrière sa femme, un sac plastique à la main.

La mère sursauta. Que faisait-il là, avec ce sac plastique à la main? Allait-il, en échange de quelques pièces de francs CFA, le remplir chez l'épicier de ce sucre en poudre qui agrémente la bouillie de mil à l'huile de palme qu'on sert aux femmes qui se relèvent de couches? D'après la tradition, il ne devait pas assister à ce mystère qui a toujours été l'un des rares privilèges abandonnés aux femmes.

– On vomit par là où on se nourrit! ajouta-t-il, sentencieux.

– Vas-y, ma fille, courage, encore un petit effort, c'est bientôt fini, murmura la mère en retenant ses larmes.

Quelqu'un poussa la porte du monde.

Une main tremblante coupa le cordon ombilical et offrit un trône de cotonnade blanche à l'hôte téméraire. Malgré la délicatesse avec laquelle on prenait soin de lui, il semblait avoir compris qu'on lui demandait de ne pas perturber le silence du monde. Son premier cri fut timide et vite tu, on lui avait mis sur la langue quelques gouttes d'une eau sucrée où macérait une racine. Il suçotait ses petites mains qui, ne trouvant pas par quel bout attraper la vie, revenaient protéger son petit visage. On l'aurait pris pour un boxeur, n'eût été sa petite taille : son visage renfrogné et bleuté semblait avoir échappé de peu aux poings de Mike Tyson. Dire qu'on est assez mièvre pour s'écrier devant les nouveau-nés : *Ah, qu'il est mignon !* Ils ne sont jamais beaux, il n'y a que la naissance en elle-même qui soit belle.

Sankèle reprenait son souffle, essayant malgré sa fatigue de reconnaître, dans le visage de son fils couché auprès d'elle, les traits de son aimé. Sa mère saisit une bassine et alla puiser de l'eau dans la grande jarre, au coin de la cour. Alors qu'elle revenait vers la chambre, un cri strident déchira la terre tiède sous ses pieds. Figée, elle vit Sankèle passer devant elle en courant, la tête entre les mains. Elle essaya de la rattraper, en vain. Elle rebroussa chemin pour aller s'occuper du nourrisson. Le spectacle qu'elle découvrit la priva de parole à tout jamais : son mari avait mis l'enfant dans le sac plastique et le ficelait comme un rôti de porc. Devant le regard ahuri de son épouse, il annonça froidement :

— Un enfant illégitime ne peut grandir sous mon toit.

Il quitta la chambre, son ballot sous le bras, et se dirigea vers la mer. Après avoir posé le petit corps dans sa pirogue, il rama vers le large. Quand il estima s'être suffisamment éloigné du rivage, il arrima le corps à une grosse pierre, le plongea au fond de l'Atlantique et reprit son sillage à l'envers.

Des dauphins, accompagnés de leurs petits, piquèrent un plongeon derrière la pirogue. Ils sont restés amis des humains. Parfois, ils s'approchent du village et semblent s'amuser à faire la course contre les pirogues. La légende dit que Sédar et Soutoura ont maintenant une grande famille : ils transforment les bébés noyés en dauphins et les adoptent.

Le vieux pêcheur avait à peine franchi le seuil de sa maison quand la voix frileuse du muezzin fit chanter les coqs. Le souffle de l'aube dissipait le bleu de la nuit. Il fit ses ablutions, saisit son chapelet et se rendit à la mosquée. *Allah Akbar!*

Depuis ce jour-là, sa femme s'était réfugiée dans la forteresse du silence, laissant à ses larmes le soin de dire la profondeur de leur source. On ne vit plus jamais Sankèle enfoncer ses petits pieds dans le sable blanc de Niodior. Sa course effrénée s'était arrêtée devant la porte de Ndétare. Celui-ci, ne voyant aucun moyen d'aider sa petite amie, se résigna à favoriser sa fuite : il fallait sauver Sankèle, l'aider à sortir du village. Si l'île est une prison, toute sa circonférence peut servir d'issue de secours. Homme des terres, l'instituteur n'avait ni pirogue ni pied marin. Les hommes étaient encore à la mosquée lorsqu'il frappa à la porte de son ami piroguier, un oncle de Madické. Celui-ci ne se fit pas prier. Il demanda à Ndétare d'amener Sankèle de l'autre côté du village, au rivage sauvage, bordé de palétuviers et peu fréquenté. Puis il alla au débarcadère, prit une pirogue et fit le tour de l'île. Ndétare, le cœur serré, fit ses adieux à sa dulcinée; il lui offrit toutes ses économies, de quoi vivre en ville le temps de trouver un emploi, un travail de bonne certainement. Sankèle embarqua, déguisée en homme.

— On ne sait jamais, avait dit le piroguier à son ami, on peut croiser des pêcheurs, il vaut mieux que tu lui prêtes un de tes costumes.

En effet, au large, des pêcheurs qui rentraient au village leur firent d'amples saluts, persuadés d'avoir aperçu la silhouette de l'instituteur. Ils furent étonnés de le voir à la mosquée en début d'après-midi pour la prière du vendredi.

— Mais, on t'a vu partir tôt ce matin, non? Tu étais dans cette pirogue qu'on appelle Saly Ndène, s'entendit-il dire.

— Non, répondit-il, formel, j'ai fait cours ce matin, demandez aux enfants. D'ailleurs, comme vous le savez, je n'ai pas le droit de sortir de l'île, et je ne sais pas conduire une pirogue.

Ici, toutes les pirogues ont un nom. Parfois, on peut ne pas reconnaître les passagers, mais on identifie toujours les pirogues à leur allure, leur fanion et leurs peintures particulières. On avait bien vu Saly Ndène fendre hardiment les flots. Et dès que le piroguier accosta en fin de journée, on le questionna sur son compagnon. Il jura s'être rendu seul à Ndangane Sambou acheter des bougies de rechange pour le moteur de Saly Ndène.

Les cars rapides, partis de Ndangane Sambou le matin, avaient déversé une foule de campagnards dans les dédales de la capitale. Les petits pieds de Sankèle avaient foulé la terre noire et graisseuse de Dakar. Qu'est-elle devenue depuis ? Nul ne l'a jamais su.

Deux ans après ces événements, des Niodiorois revenus de la ville affirmèrent l'avoir vue danser dans un ballet de la capitale. Tout le monde fut scandalisé : une authentique guelwaar, une fille de la noblesse, ne se donne pas en spectacle ! Plus tard, les vagues firent déferler sur le village une autre rumeur : Sankèle serait partie exercer son art en France. L'homme de Barbès aurait même tenté de la retrouver, en vain. Perdue dans un ailleurs indéterminé, Sankèle était devenue une ombre diffuse dans un territoire imaginaire. Mais pour tous ici, la France, l'Eldorado, représentait aussi la plus lointaine destination de toutes les escapades et figurait une sorte de lieu mythique de la perdition, le refuge des *Pitia-môme-Bopame*, les oiseaux libres, envolés de toutes parts. Pourtant, cette dernière rumeur avait redonné un peu de force à la mère de Sankèle qui espérait la voir, un jour, rentrer d'Europe avec assez de richesses pour redorer le blason familial. Mais le temps se fit fossoyeur de rêves. Avec les années, le nom de Sankèle avait cessé d'inspirer les contes et d'apparaître dans les cauris des sorciers. Seuls sa mère et Ndétare avaient gravé dans leur cœur les contours de sa gracile silhouette. Mais elle est restée à l'intersection des vies de Ndétare, du vieux pêcheur et de l'homme de Barbès. Séparés en apparence, leurs destins se sont croisés et enchaînés en elle. Rancœur, colère, regret et frustration ne sont que les chemins qu'emprunte leur mémoire pour les amener boire à la même source du souvenir. Des trois hommes, Ndétare était le plus affecté par cette histoire. Aveuglé par ses convictions, le vieux pêcheur restait persuadé d'avoir fait ce qu'il fallait. Quant à l'homme de Barbès, sa blessure ne le démangeait que devant Ndétare. Seul l'instituteur avait gardé cette fidélité douloureuse qui lui rendait impossible toute autre relation amoureuse et l'enfermait, à intervalles réguliers, dans un profond mutisme. Lorsqu'il traversait une de ces phases, toutes les distractions qu'il s'était inventées pour fuir son passé lui semblaient soudain dérisoires. Emule d'Argan, il jouait au malade imaginaire et renvoyait sans ménagement les jeunes qui venaient le relancer pour le sport.

— Je ne me sens pas bien, petits. L'entraînement, ce sera pour une autre fois. Et puis, il n'y a pas que le travail du corps, il faut aussi travailler l'esprit. Vous ne pensez qu'à l'entretien physique.

— On aime la vie ! On veut garder la forme, rouspétait Garouwalé, le Pique-feu, qui avait toujours quelque chose à redire.

— Votre être, votre humanité, demande plus que ça. Apprenez à regarder hors de vous. Profitez donc de ce temps libre pour vous demander le vrai sens de l'existence, cette ligne fuyante. Est-il possible d'apprécier la vie quand on n'a que soi-même à aimer ? Et puis, à quoi sert-il de courir sur la ligne, quand on sait qu'il n'y a qu'un gouffre au bout ?

Les garçons sentaient leurs épaules s'affaisser sous le poids d'une croix venue ils ne savaient d'où. Sur le moment, Ndétare savourait l'effet de son discours de ténébreux. Mais, dès que les jeunes débarrassaient le plancher et qu'il n'entendait plus que l'écho de ses murs, il priait secrètement, afin qu'ils reviennent le sauver de ces heures vides qui l'attiraient vers le précipice.

8

Madické prenait les réflexions de l'instituteur au pied de la lettre et croyait avoir trouvé une réponse. Lui n'était pas égocentrique, il aimait quelqu'un d'autre plus que lui-même : Maldini. Toutes ses actions visaient à le rapprocher de lui. L'influence de ses copains et les piques du vieux pêcheur avaient pris le pas sur la rhétorique anti-émigration de Ndétare.

Les séances d'entraînement représentaient pour Madické la seule issue de secours à sa frustration. Leur absence engendrait inversement un désœuvrement propice à la naissance des pensées les plus déraisonnables. Jusque-là, j'avais réussi à l'empêcher de se ruiner, à l'instar de ses amis, chez les marabouts qui spéculaient sur leurs rêves innocents. Mais cette fois il s'était décidé, il ferait tout pour aller en Europe, rencontrer son idole, son double, et faire comme lui. Devenir un grand footballeur, c'était vraiment ça son désir le plus impérieux. Il y arriverait, il en était sûr.

— Allô! C'est moi, Madické.

— Oui, ça va?

— Oui, rappelle-moi au télécentre.

Je raccroche et rappelle immédiatement. « Il n'y a pas de match, me dis-je. Pour qu'il m'appelle en plein jour, ce doit être important. »

— Bon, voilà, je t'écoute, mais fais vite, c'est plus cher pendant la journée.

— Est-ce que tu veux bien m'aider à venir?

— A venir où? Je ne comprends pas, tu veux dire...

— Ben oui, en France, aide-moi à trouver un club.

— Mais enfin, tu rêves? Je n'y connais rien, moi, au football; et puis, avec quoi te payerais-je le billet? Et surtout, avec quoi vivrais-tu ici?

— Ben, si tu m'aides pour le billet, ça ira; après, dans un club, je gagnerai de quoi...

— Mais enfin, tu rigoles ou quoi! Je n'ai déjà pas les moyens de te payer un billet, moi; et puis, tu n'as qu'à trouver un bon club au pays, il y en a aussi.

— Oui, mais moi j'ai envie de voir Maldini jouer, et ce n'est pas ici que je le pourrai.

— Ben, ce n'est pas en France non plus, il est italien.

— Ouais bon, ça je le sais! Mais tous les gars de chez nous qui partent pour l'Italie passent en général par la France. Tu pourrais quand même m'aider un peu, non?

— Ce n'est pas que je ne veuille pas, je ne peux pas.

— Bon, j'irai voir un marabout, eux au moins ils ont toujours une solution.

— Ah non! Surtout pas! Tu ne vas pas te laisser plumer par ces truands, je t'interdis d'y aller!

— Mais attends, tu ne veux pas m'aider, alors... je veux trouver une solution, moi.

— Mais ce n'est pas un marabout qui réglera ton problème! C'est n'importe quoi, comment peux-tu faire confiance à ces gens-là?

— Et pourquoi ne leur ferait-on pas confiance? Tu les dénigres toujours, sans aucune raison. Pourtant, leur efficacité a été maintes fois prouvée : regarde Wagane, par exemple, c'est le marabout du village qui l'a aidé, et il a très bien réussi. Mais toi, tu ne veux pas le croire. Tu crois avoir percé tous les mystères à l'école! T'es vraiment occidentalisée! Mademoiselle critique maintenant nos coutumes. Et d'ailleurs, comme t'es devenue une individualiste, tu ne veux même pas m'aider. Alors t'es qui pour m'interdire?

Je raccroche, m'affale sur le canapé et scrute le plafond. Bon sang, je ne peux quand même pas raconter à mon frère les saletés qui me font fuir les marabouts !

Raconter ou pas raconter ? Comment raconter ? Avec ou sans pointillés ? Alors, que faire ? Quelques lignes se dessinent sur le plafond : narrateur, ta mémoire est une aiguille qui transforme le temps en dentelle. Et si les trous étaient plus mystérieux que les contours que tu dessines ? Quelle est donc cette part de toi qui pourrait remplir les trous de ta dentelle ? Qui es-tu ?

Métamorphose ! Je suis une feuille de baobab, de cocotier, de manguier, de quinquéliba, de fégné-fégné, de tabanany, je suis un fétu de paille. Faux, puisque le vent ne m'emporte pas ! Métamorphose ! Je suis un bloc de ce mur, un carré de marbre, de granit, une boule d'onyx. Je suis un buste de Rodin, une statue de Camille Claudel. Le temps de la vie me contourne et je suis ce trou dans la dentelle du temps. Faux, puisque ma main fait ce va-et-vient qui participe au tissage du temps ! Il y a longtemps, dans une petite pièce peu éclairée, ces pensées étaient peut-être les miennes, face à l'Afrique et à ses rites. Objet avait-on fait de moi, objet j'étais devenue.

— Vas-y, Salie, continue ! me dit ma tutrice, la vieille Coumba, qui faisait face à sa fille, Gnarelle.

Coumba avait la soixantaine bien embobinée, sa fille laissait la trentaine loin derrière elle. Collégienne, je venais de changer de ville d'études, comme souvent. Protectrice, ma grand-mère tenait à me placer sous l'aile d'un ange gardien, juste le temps pour moi de trouver un petit emploi et une chambrette à louer. Après avoir passé en revue sa famille élastique, elle m'avait confiée à Coumba, une de ses cousines de la énième branche de l'arbre généalogique. En vertu de nos rares gènes communs, ravie surtout d'intercepter une main-d'œuvre facile, Coumba m'accueillit et me garda longtemps chez elle où je fis la connaissance de sa fille, Gnarelle.

Installée chez sa mère, Gnarelle guérissait d'un divorce et se parait de ses deux enfants pour accumuler des galons et compenser la perte de son grade d'épouse. Sa guérison était presque complète, car sa démarche était redevenue conquérante et son sourire coquin. Elle redécouvrait l'ivresse de la séduction grâce à un riche pêcheur, voisin de sa mère, qui avait remarqué son sourire forcé, et décodé son maquillage sur lequel on lisait : *Attends désespérément de nouvelles noces!*

Lorsqu'en fin d'après-midi la jeune femme allait au port de pêche, l'ancien émigré Wagane Yaltigué, l'El-Hadji aux dents d'or qui arpentait le rivage pour contrôler les prises de ses multiples pirogues, ne la perdait pas de vue et lui manifestait une attention très significative. Il remplissait un seau en plastique de poissons de grande qualité, emballait le tout dans un gros billet de banque et le lui faisait parvenir par l'intermédiaire d'un *môl*, un apprenti pêcheur, qui répétait invariablement :

— Tante, mon oncle vous salue et vous fait porter de quoi préparer une petite grillade.

C'était une cour malodorante, sans pétales de rose, avec une imagination moins profonde qu'un fond de cale, mais elle avait le mérite d'être assidue et bien ficelée. A force d'accepter les petites grillades, la jeune femme finit par sentir son cœur esseulé s'embraser. Sa mère en attisait le feu, encouragée par d'autres. La griotte du quartier, agent secret des froufrous, qui tirait sa pitance de la flatterie, rapportait les rumeurs sans en avoir l'air. Lorsqu'elle passait quémander riz, sous, savon chez Coumba, elle profitait de chaque passage de Gnarelle pour la taquiner : « Ah ma fille ! *Kar-Kar !* Que dire d'une telle beauté, sinon qu'elle fait fondre le cœur des hommes, à juste titre. Ma chère Coumba, d'après mon pan de pagne, le corsaire qui va emporter notre princesse n'est plus loin : en dépit du gris au-delà des tempes, il est joli, il est gentil et il donne de l'argent. La patine ne gâche pas le bois de qualité ; comme on dit dans mon Baol natal, la beauté d'un homme est dans sa poche – et aussi là où le lézard sautille –, si vous voulez mon avis, mais ça, ce n'est plus l'affaire d'une vieille dame comme moi. Allons, ma fille, viens donner à ta tante griotte de quoi acheter une noix de cola. » Sans remettre son flair en question, on la muselait d'un petit billet pour s'en débarrasser.

Peu de temps après, dans la maison d'à côté, la jeune femme faisait des grillades qui flattaient les papilles d'El-Hadji et laissaient le fumet escalader le mur pour aller chatouiller les vieilles narines de la mère Coumba. Quiète dans sa masure, la nouvelle belle-mère savourait son capitaine et sa retraite inespérée. Tous les matins, imaginant la darne d'avenir qui lui restait sans arêtes, elle allait, chapelet à la main, souhaiter bonne pêche à son gendre-providence. Mais la meilleure prise du patron, c'était bien cette nymphe qui brassait gracieusement la brise du soleil mourant. Il avait fait d'elle sa *gnarelle*, sa deuxième épouse. Dix mois à peine après leur mariage, elle l'enorgueillit d'un bébé bien dodu, un garçon. Gnarelle fut fêtée, encensée, couverte de cadeaux par son époux et l'ensemble de sa belle-famille, tous heureux de voir leur patronyme se prolonger dans la postérité.

Adulée, Gnarelle devint une magnifique *dryanké*, une coquette dame pétulante, aux bijoux variés, aux toilettes enviables. Elle se dandinait à travers la grande cour de la maison et sur le chemin du marché où le balancement de ses fesses cambrées semblait mimer le tangage des pirogues entre les vagues de l'Atlantique.

Tout ceci se déroulait sous l'œil de la première épouse, Simâne, qui avait reculé dans son orbite, pour se tenir à distance de cette débauche de joie. Mais ses oreilles, restées ouvertes malgré elle, pouvaient discerner entre les multiples congratulations destinées à sa pétulante coépouse quelques méchants proverbes et quolibets proférés à son intention à elle, qui n'avait jamais donné que des filles à son époux.

On l'appelait « la calebasse cassée », incapable de contenir l'avenir, ses sept enfants n'étant que des morceaux d'elle-même : que des filles! On disait aussi que, par sa faute, son mari nourrissait des bouches inutiles qui, loin de contribuer à la pérennité du patronyme Yaltigué, iraient agrandir la famille d'autrui.

Lorsque Simâne se désolait dans sa chambre en compagnie de sa solitude et de sa tristesse, les seules amies qui lui restaient, elle se répétait en gesticulant quelques proverbes qu'on avait semés dans sa tête et qui s'y entremêlaient comme autant d'herbes folles : « Nourrir des filles, c'est engraisser des vaches dont on n'aura jamais le lait. » Ou encore : « Berger sans taureau finira sans troupeau. »

Les moqueries qui harcelaient son mari avant ses épousailles avec Gnarelle lui revenaient en tête. El-Hadji Wagane Yaltigué fréquentait la grand-place du quartier, où s'entassaient des hommes, ses voisins et collègues, dont la richesse se résumait en une horde d'épouses flanquées d'une armée de gosses faméliques, et qui trouvaient infamante la monogamie d'El-Hadji. On le traitait derrière son dos de mono-couille, car ceux qui en ont deux se doivent d'avoir au moins deux femmes. Certains disaient que la seule chose qu'El-Hadji savait prendre, c'était la mer; qu'à la maison, c'était Simâne qui portait le pantalon; que c'était la raison pour laquelle il n'osait pas prendre une deuxième épouse. D'autres disaient qu'il était monogame pour imiter les Blancs, car il avait longtemps vécu en France. Des âmes bien intentionnées avaient représenté à El-Hadji la strate qui manquait à l'accomplissement de sa notabilité, et avaient proposé leurs services pour y remédier. Elles ne manquèrent pas de lui rappeler qu'il n'avait toujours pas d'enfant mâle. Sept étant le nombre même de la perfection, concluaient-elles, quand une femme ne donne pas satisfaction après autant de couches, il n'y a plus rien à espérer d'elle.

— Ah, ces valets de Satan ! Ils ont détruit ma vie !
Que l'enfer se gave de vous !

Et Simâne finissait son monologue dans un accès
de colère :

— Voilà qu'une petite pimbêche, épousée vingt-
cinq ans après moi, donne à mon mari le taureau
qu'il attendait depuis si longtemps ! Maudit soit
mon ventre qui n'a porté que mon malheur !

Assise au milieu de son enfer, Simâne gérait ses
crues d'hormones par des rêves érotiques et des souvenirs d'étreintes, étreintes qui n'existaient plus que
dans sa mémoire tactile et dans l'autre aile du bâtiment, où Gnarelle se laissait gracieusement effeuil-
ler. Du fond de son cachot sentimental, elle
apercevait le jeune trône, déjà affermi, de Gnarelle,
dont elle enviait les fastes et les amours, jusqu'au
jour où...

Gnarelle appréciait son trône matrimonial, elle
s'y plaisait et faisait tout son possible pour le garder. Elle voulait cantonner les fougues de son El-
Hadji dans les limites de son triangle. Mais, pour
couper les cheveux de Samson, il fallait plus que le
gazouillis d'un bébé. Alors elle variait les mets, les
coiffures et les petites attentions pour son mari. Le
soir venant, les dentelles qui ornaient ses dessous
laissaient entrevoir autant de facettes de sa sensua-
lité. *Allah Akbar !* disait El-Hadji, en feignant d'évi-

ter de la regarder lorsque, se rendant à la mosquée pour la prière du soir, il la croisait sur le perron ou dans la cour. Heureusement qu'il portait toujours un pantalon bouffant! *Allah Akbar!* Dieu est grand! Gnarelle vivait épanouie, ignorant les soupirs de sa coépouse, jusqu'au jour où...

Jusqu'au jour où elle eut besoin de gingembre pour relever les sauces et cocktails concoctés pour son époux, et bien plus important encore. Mais ni le gingembre ni les dentelles, devenues progressivement plus criardes et transparentes, ne réussirent à redresser la barre, à ramener le tonus sentimental de son grisonnant mari. Le soleil avait fini par se coucher, et le lézard frétillant avait quitté son abri. Reviendraient-ils demain? Peut-être, s'il ne pleut pas, et si le lézard ne trouve pas meilleur perchoir!

Malgré les prières et l'encens, les lendemains de Gnarelle furent pluvieux, et le lézard ne vint plus à son abri. Le matin, elle sortait, maussade, d'un lit aux draps à peine froissés. Elle s'endormait sur ses ardeurs lorsqu'elle y parvenait; son El-Hadji, qu'elle croyait affaibli, exprimait les siennes ailleurs et semblait y prendre goût.

Un vieux paysan de Fimela, qui lui devait beaucoup d'argent depuis longtemps, venait de lui offrir la main de sa fille de seize ans. Qui a dit que le troc avait disparu de l'Afrique moderne? Par ce geste, le vieux cultivateur neutralisait sa dette et tissait par la même occasion une alliance enviable. Quant à El-Hadji, s'il n'avait rien demandé, il n'avait pas émis d'objection non plus. Je n'ai jamais vu un lion dédaigner une gazelle. El-Hadji resta de longs mois à Fimela.

Fatiguée d'attendre et de veiller, Gnarelle alla pleurer chez sa mère. Dame Coumba, en femme d'expérience, décida de remédier sur-le-champ au malheur de sa fille. Il fallait reconquérir puis conserver l'époux versatile et, pour une cause aussi importante, tous les moyens étaient bons. Après avoir procédé, en vain, à tous les sacrifices requis pour invoquer la mémoire des ancêtres, la vieille Coumba fit venir un marabout peul, dont la réputation s'était répandue sur la ville de M'Bour comme une traînée de paprika. Ici, on mange épicé et toutes les rumeurs le sont, au marché, pour aiguiser l'appétit des femmes qui ne savent plus à quelle sauce apprêter leur couple rance. Le match de la polygamie ne se joue jamais sans les marabouts. *Marabout*, ce mot rond, ample et charnu, qui sonne vieux, désignait en l'occurrence un jeune homme qui empestait l'eau de Cologne et dont l'allure révélait un séducteur patenté. Il débarqua chez mère Coumba un soir, respectant ainsi le pacte tacite de discrétion qui veut que, dans cette société où beaucoup de gens vont aux toilettes selon l'avis de leur marabout, personne ne reconnaisse ouvertement en avoir un.

Le chirurgien qui devait rafistoler le cœur brisé de Gnarelle, repasser son couple fripé et lui donner une seconde jeunesse arriva donc un soir, avec un grand sac pour unique bagage. Ma tutrice, la vieille Coumba, m'ordonna de libérer ma chambre où elle accueillit le Peul. C'était une petite pièce qui servait de cellier, avant mon arrivée, au décor sommaire de laquelle on ajouta une natte de prière et une bouilloire pour les ablutions du saint hôte. Après sa première prière du soir, je fus chargée de lui apporter un succulent dîner, servi dans un bol aux dimensions respectables, un melon entier, du lait caillé sucré et une bouteille de limonade bien fraîche. Coumba et sa fille savaient faire preuve de *téralgane*, bien recevoir un invité. Elles respectaient la *téranga*, l'hospitalité nationale.

Cependant, depuis qu'El-Hadji, en vieux moustique, suçait le sang de la petite de Fimela, faisant de son avenir son présent, il lui injectait, en même temps que sa semence, la malaria citadine, ce goût immodéré de l'embourgeoisement. Associant l'évolution de sa morphologie à celle de sa situation sociale, la petite paysanne devint de plus en plus ardente à consumer le vieux bois. Tandis qu'à

M'Bour, Simâne, la première épouse, dépendait des livraisons nocturnes de ses proches et que Gnarelle s'endettait pour sauver les apparences, à Fimela El-Hadji se laissait prendre dans un filet plus jeune, partant, plus solide. La petite, pour s'agripper à lui, prétextait fièvre et vertige, qui ne devaient rien à l'amour mais qu'il lui plaisait d'interpréter, par naïveté ou par méconnaissance délibérée des octaves qui séparent un soupir de dépit d'un gémissement orgastique, comme autant d'atteintes dues aux flèches de Cupidon. Si Gnarelle s'employait à dissimuler sa tristesse sous le sable froid des nuits de M'Bour, la nouvelle dulcinée, elle, s'échinait à feindre la passion. C'était encore plus fatigant.

Après le dîner, la vieille Coumba fit venir sa fille. Toutes deux confièrent au marabout l'objet de leurs soucis et lui expliquèrent le miracle qu'elles attendaient de lui. Le Peul déclina son palmarès, énuméra des prénoms de femmes, une foule de clientes comblées. Pour clore la consultation, il leva les yeux et les mains au ciel, sa voix limpide remplit la pièce d'un *Bihismilahi*, suivi d'un engrenage de mots incompris des deux femmes. Dans un silence religieux, elles imitèrent son geste, à ceci près qu'elles ne tendaient pas leurs mains au ciel mais vers leur intercesseur qui, à la fin de sa prière, les couvrit d'une ondée de salive sainte. *Alhamdou lillahi!*

Merci, Allah! Gnarelle et sa mère, impressionnées par le grand jeune homme et ses fétiches, se retirèrent, courbées par le respect et pleines d'espoir. Le saint homme désirait maintenant rester seul pour prier, méditer avant de se coucher car, disait-il, c'est au cours de la nuit qu'il interrogeait les esprits et recevait leurs directives. Naturellement, ces esprits fixaient le coût des prestations, un dédommagement impératif.

La ville, peu à peu, baissait la voix. J'aménageais ma couchette occasionnelle au salon. La nuit des esprits se dandinait dans sa longue robe noire, obstruant le passage aux idées cartésiennes, éteignant les flambeaux que Mariama Bâ, Ousmane Sembène et d'autres se sont évertués à allumer. La vérité attendait toujours Godot! Mon sommeil aussi. Quand tout le monde fut couché, le Peul traversa le salon pour se rendre aux toilettes. Tiens donc! Serait-il un homme comme les autres? Je croyais que les marabouts, qui trouvent des solutions à tout, avaient définitivement réglé, au moins pour eux-mêmes, ces petits besoins par lesquels la nature nous rappelle à l'ordre et qui sont si incommodants pour la méditation. Mais ce marabout savait au moins différer les siens. Les yeux mi-clos, je l'observais, méfiante. Il s'était arrêté devant ma couchette et me regardait avec insistance. Mais la nature commandait et claironna qu'il était temps d'y aller. Le retour ? Métamorphose ! Je suis un bouddha en bronze terni, des âmes sortent de l'antre de Lucifer, m'abandonnent leurs ténèbres et partent, auréolées de ma lumière. Bouddha, je retiens mon souffle lorsque, charriés par le fleuve des péchés, des yeux tranchants enfoncent leur lame dans ma chair muette et passive. Au retour donc, le marabout s'immobilisa devant ma couchette et, la bouche entrouverte, me scruta longuement. *Youmam Babam, Allahou Akbar !* murmura-t-il, avant de s'en aller. Les esprits lui auraient-ils inspiré un mode opératoire ? Auraient-ils fait de mon corps le parchemin d'un courrier occulte ?

Le lendemain matin, devant sa tasse de quinquéliba, une demi-baguette bien beurrée et quelques beignets maison encore fumants, il accueillit ma tutrice et sa fille, arrivée dès le premier chant du coq. Dans un long discours ascendant, il dévoila le cheminement nécessaire à la reconquête du bonheur de Gnarelle. Ayant fourni à la jeune femme une cordelette sertie de petites racines, une mixture d'herbes concassées et une bouteille remplie d'un liquide noirâtre, il expliqua :

— Cette cordelette, tu la porteras désormais autour de la taille. Cette poudre, tu en mettras trois pincées dans le dîner de ton époux, tous les soirs, durant une semaine. Tu commenceras un vendredi, tu termineras le vendredi suivant.

Gnarelle, la tête inclinée, tendit religieusement les deux mains vers « le seigneur », en psalmodiant des remerciements.

— Cette bouteille, reprit le Peul, tu feras attention au liquide qu'elle contient, il est doté d'un charme très efficace qui se retournerait infailliblement contre toi si tes coépouses en étaient touchées. Méfie-toi de tes coépouses, j'insiste sur ce point, car elles agissent dans l'ombre.

— *Wallaye, wallaye!* cria mère Coumba. Ma fille est devenue amorphe, elle est comme vidée de son énergie.

Puis, la considérant avec des yeux embués de larmes, la vieille dame ajouta :

— Je me doutais qu'elles n'étaient pas inoffensives.

— *Deugue, deugue*, vraiment, murmura Gnarelle, mon corps ne m'obéit plus et je ne ferme plus l'œil de la nuit, elles m'ont sûrement jeté un sort.

— Ne vous en faites pas, poursuivit le fringant marabout, le visage irradié d'un sourire, Dieu apporte une solution à chacun de nos soucis. *Inch'Allah*, tout va rentrer dans l'ordre, si vous suivez mes instructions jusqu'au bout.

— Nous ferons tout ce que vous nous direz de faire, clamèrent en chœur les deux femmes.

Puis la vieille Coumba, pour attester cette entière soumission, s'appuya sur un proverbe comme on appuie un tampon au bas d'une déclaration officielle :

— Quand on ne connaît pas son chemin, on met ses pieds dans les pas du guide.

— Ce n'est pas moi qui vous indique ce qu'il faut faire, je ne fais que vous transmettre ce que les esprits ordonnent à travers moi, précisa le Peul. Les esprits peuvent résoudre votre problème, mais c'est à vous de mériter leur bonté, en suivant à la lettre leurs prescriptions.

— *Wallaye, wallaye*, acquiesça humblement la vieille femme, encerclée par le mur de son proverbe.

Le maître continua son office.

— Je disais donc qu'il faudra prendre garde au liquide contenu dans cette bouteille. Pour l'utilisation — il tourna son visage clair vers Gnarelle —, tu y ajouteras un peu de parfum puis, les périodes où tu passes la nuit avec ton mari, tu t'enduiras de ce liquide avant d'aller le trouver au lit. Il faudra surtout en mettre sur tes parties intimes trois fois en invoquant son nom, *inch'Allah*, il ne pourra plus te résister.

La jeune femme buvait ses paroles, ses yeux retrouvaient déjà leur éclat et suivaient le fil d'un rêve.

— Mais ce n'est pas tout — ici, le Peul coupa le fil du rêve —, vous me remettrez cinquante mille francs CFA, deux cotonnades d'une teinture bleue et un jeune mouton ou son prix, car je dois faire des sacrifices aux esprits pour le service qu'ils vous rendent. Evidemment, ce n'est pas moi qui fixe la nature et la valeur de ces choses matérielles, ce sont eux qui vous les réclament. Ils sont invisibles au commun des mortels, mais ils n'en demeurent pas moins comme nous autres, ils ont aussi leurs petits caprices. Le pire, c'est qu'ils n'hésitent pas à se venger sur les enfants de ceux qui ne respectent pas leurs exigences.

— Ce sera fait, ils seront satisfaits, affirmèrent les deux femmes, solennelles.

— De surcroît, reprit le marabout, il y a un rite complémentaire mais un peu particulier, dont je comprendrais fort bien que vous le refusiez. Sachez seulement que c'est un rite que je propose gracieusement à mes bonnes clientes pour les aider, et qui vous garantirait le plein succès du travail que nous avons commencé. La décision vous appartient, mesdames...

En dépit de l'obscurité de cette clause, les deux femmes ne se firent pas prier. Qui tire la langue dans le désert ne s'arrête pas à deux pas de l'oasis! Le jour même, à l'heure de la prière de la mi-journée – créneau de puissance magique selon le marabout –, le rite fut exécuté.

Dans la pénombre de la petite pièce, un filet de lumière rusait avec le rideau de la fenêtre et se posait, par intermittence, sur le visage de Gnarelle et celui de sa mère, Coumba. En moi, une voix répétait frénétiquement : je suis une statue en bois d'ébène, mais Dieu m'ordonne de respirer, ma poitrine se soulève par saccades. Au secours, je suis en vie, Dieu m'ordonne de respirer ! Et je respirais, malgré moi.

— Vas-y, Salie, continue, je te dis ! ordonna la vieille Coumba.

Je m'imaginai ailleurs : je suis un automate sur les Champs-Elysées, la voix est un vent qui me contourne et ne modifie point mes gestes lents.

— Mais vas-y, hurla la vieille femme, mais enfin Salie, allons, plus vite que ça ! *Athia ! Athia waaye !*

— Salie, *athia waaye*, dit Gnarelle, par allégeance à sa mère.

Métamorphose ! Je suis un château de sable. Qu'une vague de l'Atlantique me disperse ! Boule de boue, boule de billard, bulle de vie, je suis une zone de basse pression. Le cyclone de leurs voix m'ébranla, ma main tremblait, le mouvement qui la faisait glisser de bas en haut et inversement s'en trouva accéléré. Plus vite, les yeux fermés ; plus vite, la tête détournée; plus vite encore, les lèvres mordues; encore, plus vite, ma main d'abord moite devint gluante; plus vite, mes orifices demandent à Dieu des clapets, il faut que mon être soit hermétique. Plus vite! disaient-elles encore, remplissant la pièce de leurs voix. Un jour, c'est sûr, je leur ferai boire ma cervelle liquéfiée, encore plus vite que ça! Mais qui suis-je?

Métamorphose! Je suis un gri-gri. Je suis une potion magique. Je suis une cotonnade de teinture bleue. Je suis ce jeune mouton égorgé sur l'autel de l'amour de Gnarelle. Je suis un sacrifice fait aux esprits. Je suis un fétiche parmi les fétiches du marabout peul. C'est pourquoi ma main glissait en un incessant va-et-vient sur cette chose que je n'osais regarder.

Le rite du Peul exigeait une jeune fille pure, une vierge qui devait tenir le sexe maraboutal, en faisant aller sa main de la terre vers le ciel et du ciel vers la terre, comme lorsqu'on pile du mil, tandis qu'allongé sur le dos entre les jambes de sa patiente, il débiterait ses incantations. Coumba, ma tutrice, m'avait réquisitionnée, muselée, en m'annonçant l'horrible sort qui serait le mien, la terrible sanction que les esprits m'infligeraient en cas de refus ou de trahison du secret. Le marabout l'avait soutenue en ces termes :

— La noblesse d'un ventre, c'est sa capacité à offrir une tombe aux secrets, et celui qui ouvre cette tombe doit en supporter l'odeur. Quand j'avance dans la forêt, j'évite de marcher sur les plantes bénéfiques, mais je sais aussi arracher les branches gênantes, avait-il lancé dans ma direction, tout en me bâillonnant des yeux.

Gnarelle, quant à elle, avait pour instruction de s'allonger sur le dos, pieds et bras écartés, dès que le membre maraboutal serait pointé vers le ciel. Elle devait aussi serrer un gri-gri dans chaque main et en presser un troisième de ses reins. On en était à cette phase quand le marabout poussa un soupir et, d'un signe de la main, ordonna l'arrêt du sacrifice. La tête de la bête désignait le toit de la petite pièce, ma main semblait avoir essoré du gombo. Le Peul se retourna, récita une prière et, tout en psalmodiant d'autres choses sibyllines, enfourcha Gnarelle qui se raidit sur la natte.

— Ne t'inquiète pas, dit-il, je ne fais que t'infiltrer le fluide positif.

Gnarelle ne bougea plus, elle serrait très fort ses gris-gris. Cela faisait si longtemps qu'elle n'avait plus serré les poings dans cette position. La vieille Coumba se leva et m'entraîna hors de la petite chambre en murmurant :

— *Alhamdou lillahi*, c'est la dernière phase du rite. Viens, le savant n'a plus besoin de nous, mais surtout ne t'avise pas de raconter ceci à qui que ce soit, la malemort te saisirait immanquablement.

Le temps avait passé depuis le départ du marabout. Le petit ventre de Fimela avait poussé El-Hadji et sa troisième épouse à se rapprocher de l'hôpital de M'Bour. Trois mois après le rite du Peul, El-Hadji était de retour et passait deux nuits avec chacune de ses épouses, à tour de rôle. La septième nuit de la semaine était le bonus réservé à la petite dernière. Le fluide du Peul avait agi, mais Gnarelle n'avait toujours pas retrouvé ses privilèges et restait une épouse secondaire. Six mois après le retour de son mari, elle accoucha d'un bébé bien portant. Cependant, il était moins potelé et beaucoup plus clair que son aîné. Des bruits couraient. Mais comme c'était un garçon, El-Hadji le reconnut dans la lignée des Yaltigué. Il gagna ainsi un deuxième fils et la soumission absolue de Gnarelle, désormais enchaînée par la honte et la reconnaissance qu'elle devait à celui qui avait si généreusement donné son nom à l'enfant au teint clair.

Quant à moi, devenue réfractaire à toute forme de tutelle au cours de mes pérégrinations, j'ai fait de ma mémoire la tombe de cette histoire pendant de longues années. Je ne l'ai exhumée que pour dévoiler à Madické ce que bien des marabouts cachent sous leur apparence de sainteté. Non, ce n'est pas la peur qui m'en empêchait, mais plutôt la décence ; car j'eus vite fait de comprendre que le seul pouvoir du marabout peul consistait en sa capacité à disséminer ses gènes au gré du vent, et que les esprits qu'il invoquait résidaient dans son pantalon.

Lorsque je lui révélai enfin cette histoire, Madické murmura :

— Et alors ? Dieu seul jugera. Tous les marabouts ne sont pas comme celui-là. Et puis, à chaque âme son labyrinthe. Les marabouts ont toujours réglé des problèmes en Afrique. Chacun cherche sa solution où il peut !

Très enraciné dans sa culture, il gardait une foi inébranlable dans les pratiques ancestrales. Selon lui, il fallait toutes les expérimenter avant de s'avouer vaincu. Je profitais de chaque coup de fil pour tenter de le dissuader. Agacé par mes réflexions répétitives, Madické, qui semblait couver une colère, finit par vider son sac :

— Puisque tu ne veux pas m'aider, laisse-moi faire. Tu es devenue une Européenne, une individualiste. Un gars du village revenu de France dit que tu réussis très bien là-bas, que t'y as publié un bouquin. Il jure qu'il t'a même vue à la télé. Des gens disent ici qu'un journal de chez nous a aussi écrit des choses à propos de ton livre. Alors, avec tout le fric que tu gagnes maintenant, si tu n'étais pas égoïste, tu m'aurais payé le billet, tu m'aurais fait venir chez toi.

Voilà donc pourquoi mon frère ne tenait plus en place. L'immigré qui lui avait rapporté ces nouvelles avait amplifié son espoir. Les stars multimillionnaires du football qu'il admire passent à la télé. Aucun doute dans son esprit : sa sœur vue à la télé, surtout en France, était forcément devenue riche. D'ailleurs, il n'est pas nécessaire d'habiter dans le tiers-monde pour succomber à la magie des médias.

L'informateur de Madické, ouvrier polyvalent, volant d'intérim en intérim, ne connaissait de la vie française que le fracas des usines, le fond des égouts et la quantité de crottes de chien au mètre de bitume. Niché dans une minuscule cellule de la Sonacotra, avec l'une de ses épouses, sa nourriture européenne n'avait pas de quoi faire saliver un pêcheur niodiorois. Un stock de victuailles, le strict nécessaire, constamment renouvelé en fonction des promotions, lui permettait de garder sous son matelas l'essentiel de ses revenus. Une telle gestion de la misère lui avait permis de s'offrir ce qui, à ses yeux, représentait le grand luxe : une femme en France, emmenée en catimini, pour nourrir le travailleur ; une autre à Dakar, le pied-à-terre, pour l'accueil et le repos du guerrier ; une troisième enfin, entre les palétuviers de l'île, histoire de ne pas perdre ses racines. Dès que l'hiver frappait aux portes de la ville, il faisait ses valises. Cette saison et la monogamie faisaient partie des rares choses qu'il n'enviait pas aux Français : il rêvait de tout emporter, sa liste de courses commençait à Roissy, dès son arrivée, et se terminait à Roissy, le jour de son départ. Elle était exhaustive, sa liste : du costume au slip kangourou, en passant par le rasoir électrique, inutilisable au village, jusqu'au brumisateur, vite transformé en simple pluie chaude sous les cocotiers, il ne négligeait rien. Tenant à être bien accueilli par ses dames – après le gros matériel, comme l'électroménager qu'il choisissait d'occasion –, il leur achetait du nécessaire de toilette, en imitant les clientes des magasins pour le choix des produits. Il lui était même arrivé d'emmener une douzaine de paires de gants à sa dulcinée de l'île, afin de protéger ses mains contre les meurtrissures des coups de pilon. Mais celle-ci ne les utilisa guère ; après un essayage peu probant, elle les avait jetés sur le toit de son poulailler. L'attention était louable, mais ce n'était pas un bout de France plastique qu'il fallait pour la combler.

Ce qu'elle voulait, elle, c'était survoler l'Atlantique, s'installer de l'autre côté et regarder la télé, tous les soirs, auprès de son mari. Elle voulait que ses enfants, comme ceux de la première épouse, puissent dire : je suis né en Frââânce ! Alors, les gants, le gentil chéri n'avait qu'à les donner à la matrone qui l'accouchait chaque année dans la boue, sur des sacs à patates vides superposés en guise de table gynécologique. Son mari lui avait promis de l'emmener et cela faisait dix ans qu'elle n'espérait plus. La deuxième année de son mariage, elle avait reçu une lettre où il lui faisait accroire qu'il s'occupait des formalités pour la faire venir, qu'il économisait pour lui payer le billet et, même, qu'il s'enquérait d'un plus grand appartement. Elle s'était réjouie et avait dépensé toutes ses économies en préparatifs. Généreuse, elle fit cadeau de ses ustensiles, ainsi que de son mobilier sommaire, et partagea sa garde-robe entre sœurs et cousines, ne conservant pour elle que ses rares tenues occidentales, avant de faire ses adieux aux villageois admiratifs et d'aller attendre son départ à Dakar-Yoff. Au bout de quatre mois de patience, les tresses vieillies, le henné décoloré, elle s'en était retournée au village, les épaules basses. Après les interrogations vinrent les railleries. Les oreilles n'ayant pas de couvercle, elle entendait tout, mais restait avare de paroles et montrait à peine ses yeux qui s'enfonçaient dans leurs orbites. Devant son dénuement, les bénéficiaires de ses largesses, d'un accord tacite, restituèrent, les unes après les autres, ce qu'elles avaient reçu. Sans gants ni pommade, elle reprit pilon et mortier, écrasa le mil de toute sa colère, considéra les bruits de cette tâche comme une délation, pire encore, elle y percevait le ricanement de Satan. Son mari, quant à lui, appréhendait le voyage de retour, mais il en fallait davantage pour lui faire accepter un hiver en France. Plutôt que de se contenter de sauces excessivement pimentées en guise de chauffage, il repartit restaurer son bronzage et mener sa vie de pacha intérimaire sous les tropiques. Un tâcheron quittait un foyer anonyme de la Sonacotra, un pharaon débarquait à Dakar, avant d'aller installer sa cour au village. Durant de tels séjours, toutes ses privations lui semblaient justifiées, acceptables, quoique obsédantes. Il avait beau essayer de les oublier, elles lui revenaient entières, menaçantes, à l'approche du retour. Entouré de sa famille et de ses amis d'enfance, il se sentait en détresse à l'idée de retrouver l'immense solitude qui l'attendait.

Là-bas, une cruelle lucidité, acquise avec le temps, l'avait poussé à s'éloigner d'amitiés accumulées à l'époque de son sourire Banania. Nouveau venu, assoiffé de chaleur humaine et ignorant le coût de la vie, il recevait comme au pays. Le dimanche, malgré l'étroitesse de son logis, il invitait des collègues d'origines diverses autour d'une table où, pour l'honorer, son épouse servait du *thiéboudjène* ou du poulet *yassa* à volonté. Au café, il n'hésitait pas à offrir une tournée. Mais l'espacement des intérims et les fins de mois difficiles avaient fini par le rendre amer, d'autant plus qu'aucun de ces amis français ne semblait vouloir lui faire découvrir les spécialités locales. Déçu, il limita ses sorties et dépensa ses deniers avec parcimonie. Ses collègues, qu'il prenait au début pour des amis, ne lui manquaient pas. Les Blancs, il ne pouvait plus les sentir, disait-il, à cause de leur sournoise façon de relativiser le racisme pour mieux le pratiquer ou rester indifférents aux difficultés de ceux qui en sont victimes. Les Noirs, il ne les supportait plus, à cause de leur manie de voir le racisme partout, surtout les ratés qui n'auraient même pas réussi une pêche à la mouche chez eux. Antiraciste radical, il était devenu lui-même raciste, déclarait-il, raciste *anti-cons*, toutes races confondues.

Alors, en France, en dehors des CD de Youssou N'Dour, qu'il écoutait en boucle, et des dîners rose-morose avec sa dévouée épouse, ses distractions dépendaient du programme télé. Imaginez donc l'événement, le jour où, par hasard, il vit à l'écran cette cousine lointaine, dont il n'avait même pas l'adresse. Pour la première fois de sa vie, il suivit une émission littéraire jusqu'au bout. Du livre en question, il ne connaissait que la couverture, mais cela lui avait suffi pour bâtir une épopée qu'il s'empressa de raconter dès son retour au village. Qui oserait lui en vouloir ? L'orgueil identitaire est la dopamine des exilés. Et puis, donner des nouvelles d'un autre émigré à sa famille restée au pays, ça vous vaut toujours reconnaissance et admiration. Alors, pendant que, pour rehausser leur image, des aides-soignants se font passer pour des médecins, des vacataires de l'enseignement pour des professeurs, des techniciennes de surface pour des gérantes d'hôtel, certains vacanciers racontent avec moult détails la vie de personnes dont ils ignorent tout. Ainsi, Monsieur Sonacotra s'était offert la crédulité de mon petit frère comme un bain de soleil.

9

A Niodior, les récits de l'homme de Barbès suivaient le sillage de l'imaginaire, emportant avec eux le cœur des jeunes insulaires. Comme ses camarades, Madické était déterminé et me croyait capable de l'aider à réaliser son rêve. Une seule pensée inondait son cerveau : partir; loin; survoler la terre noire pour atterrir sur cette terre blanche qui brille de mille feux. Partir, sans se retourner. On ne se retourne pas quand on marche sur la corde du rêve. Aller voir cette herbe qu'on dit tellement plus verte là où s'arrêtent les dernières gouttes de l'Atlantique, là-bas, là où les mairies paient les ramasseurs de crottes de chiens, là où même ceux qui ne travaillent pas perçoivent un salaire. Partir donc, là où les fœtus ont déjà des comptes bancaires à leur nom, et les bébés des plans de carrière. Et maudits étaient ceux qui s'avisaient de contrecarrer la volonté des jeunes insulaires.

J'en avais fait la triste expérience, lors de vacances d'été passées au village, quelques mois avant la Coupe d'Europe. Mon frère avait la ferme intention de s'expatrier. Dès son plus jeune âge, ses aînés avaient contaminé son esprit. L'idée du départ, de la réussite à aller chercher ailleurs, à n'importe quel prix, l'avait bercé ; elle était devenue, au fil des années, sa fatalité. L'émigration était la pâte à modeler avec laquelle il comptait façonner son avenir, son existence tout entière.

Irrésistible, l'envie de remonter à la source, car il est rassurant de penser que la vie reste plus facile à saisir là où elle enfonce ses racines. Pourtant, revenir équivaut pour moi à partir. Je vais chez moi comme on va à l'étranger, car je suis devenue l'*autre* pour ceux que je continue à appeler les miens. Je ne sais plus quel sens donner à l'effervescence que suscite mon arrivée. Ces gens qui s'attroupent autour de moi viennent-ils fêter une des leurs, me soutirer quelques billets, s'instruire sur l'ailleurs qui les intrigue, ou sont-ils simplement là pour observer et juger la bête curieuse que je suis peut-être devenue à leurs yeux ?

Dès le surlendemain de mon arrivée, les fagots de bois s'étaient consumés, laissant la fumée accompagner les prières vers le ciel. Une armée de volatiles, engraissés pour d'autres circonstances, avait rendu l'âme sous la lame d'un couteau qui plaidera non coupable au Jugement dernier. Les grandes marmites de cérémonie avaient rempli leur fonction, les femmes leur devoir, et les hommes leur panse. Le déjeuner était copieux et tout le monde s'était régalé. Dieu met de la nourriture dans chaque bouche qu'il fend : en ce jour encore, le proverbe disait vrai. Certains, comme le vieux pêcheur, semblaient venus pour combler leurs diverses carences nutritionnelles. On ne me demanda pas mon avis, on me dit simplement combien il fallait pour régaler tout ce monde, qui s'était invité spontanément. L'idéologie communautaire prime sur la bienséance ou, plutôt, elle est érigée comme la base même de cette dernière. On doit tout partager, le bonheur comme le malheur. La mémoire collective n'hésite pas à ressasser sa maxime : bien de chacun, bien de tous. J'avais beau savoir que cette règle sociale d'une grande humanité, lorsqu'elle est détournée, profite surtout aux fainéants tout en les maintenant dans une dépendance chronique, je devais nourrir mes convives autoproclamés sans broncher, sous peine de passer, dès mon arrivée, pour une individualiste occidentale, une dénaturée égoïste. Quant aux rares scrupuleux, insulaires vivant en ville et nouveaux adhérents à la société moderne, ils ne tardaient pas à voir leur présence légitimée par un spécialiste en généalogie. Mais l'argument suprême était connu de tous : « Elle vient de France », disait-on, et dans l'acception générale cette petite phrase était plus éloquente que n'importe quel discours. Prévu pour durer un mois, mon argent de poche, une maigre somme âprement gagnée, me filait entre les doigts. Que voulez-vous ? Une carcasse est bienvenue pour qui n'a pas de gigot. Osez seulement vous permettre de les traiter de sans-gêne, et je vous renvoie votre jugeote par la poste avec, pour leur défense, l'argument péremptoire selon lequel la pire indécence du XXIe siècle, c'est l'Occident obèse face au tiers-monde rachitique. Mes économies étaient mon corps du Christ, ma peine muée en gâteau pour les miens. Tenez, mangez mes frères, ceci est ma sueur monnayée en Europe pour vous ! Hosanna !

Après le déjeuner, les garçons de la maison, vite rejoints par leurs copains, se rassemblèrent au salon pour le thé. Madické était là avec Garouwalé, son meilleur ami, en réalité un de nos lointains cousins ; ici, les amitiés suivent souvent les liens du sang. Garouwalé ne manquait jamais l'heure du thé. Fin connaisseur, il était réputé meilleur préparateur de la bande. Ce fut donc à l'unanimité que ses camarades lui attribuèrent cette tâche. Il fit mine de refuser un instant, se laissa prier, savoura le plaisir de voir ses capacités reconnues et réclamées, avant d'accepter de bon cœur. Grand seigneur, il assigna la corvée la plus ingrate au cadet du groupe qui rouspéta un peu avant de s'y soumettre. Ce dernier devait apporter le matériel, aller chercher du charbon et du papier pour allumer le fourneau malgache. En valet habitué à sa fonction, il trouva une astuce : dans la cuisine, le bois qui avait cuit le déjeuner se consumait encore. Il emporta le fourneau et le ramena rempli de braises ardentes. Avec Ndétare, qui était venu me voir, nous observions le manège des jeunes et échangions des regards critiques, en nous ménageant des apartés en français :

— Le droit d'aînesse est un privilège dont personne ne se prive ici, lui dis-je. Les cadets obéissent en priant Chronos d'accélérer le pas.

— Eh oui ! fit-il, en ethnologue averti. Bientôt, ceux-là mêmes qui, aujourd'hui, trouvent ce droit d'aînesse injuste en abuseront à leur tour, au nom de la tradition.

Le corvéable du jour s'exécutait. Sur un plateau s'égouttait une douzaine de tasses, ternies par la routine ; une botte de menthe trempait dans une petite calebasse et embaumait déjà le salon. La cérémonie du thé pouvait commencer. Le maître d'œuvre soupesa les paquets de thé et de sucre, jeta un regard complice à Madické ; celui-ci fit un léger signe de tête dans ma direction, et ils éclatèrent d'un joyeux rire enfantin qui me fit sourire à mon tour. Cette pause de la mi-journée était l'occasion pour eux de débattre de divers sujets. Même en mon absence, Ndétare aime à s'y inviter ; c'est une opportunité, toute trouvée pour lui, de continuer sa mission d'éducateur.

— C'est bien, me confia-t-il, que tu reviennes de temps en temps nous voir. Je constate que tu n'as pas changé. Tu as grandi, mais tu es restée le garçon manqué de la maison, tu évites encore les commérages de bonnes femmes. J'ai toujours compris que tu quitterais ce panier de crabes, mais je suis content de voir la petite liane bien enracinée.

Comme avant mon départ, j'étais la seule fille à partager le huis clos des garçons. Les femmes s'étaient agglutinées devant la cuisine et pensaient déjà au plat qu'elles allaient mitonner pour le dîner. Leurs éclats de rire et le bruit des ustensiles qui s'entrechoquaient nous parvenaient en sourdine. Coupées du reste de la maison et rompues aux tâches ménagères dès la plus tendre enfance, elles vaquaient à leurs occupations sans vraiment y penser.

Ici, la cuisine est un lieu de vie qui occupe beaucoup d'espace. Un tiers de la maison est clôturé, réservé aux activités culinaires : c'est la retraite des femmes. En dehors de leurs discussions, qui portent sur les récoltes, les maigres rendements de la pêche, les fruits de mer qu'elles vont chercher de plus en plus loin, les fiançailles, les baptêmes, les tissus à la mode et les nouvelles coutures, elles œuvrent pour l'unique bonheur du palais. Alchimistes, elles savent vaincre l'insolence de l'oignon, la témérité de l'ail et l'agressivité du piment pour restituer un peu de caractère à un espadon dompté par une huile ardente. Elles réunissent, patiemment, les tomates et les patates dans un ballet finement orchestré pour les débarrasser de leurs rondeurs. Magiciennes surtout, elles transforment les grains de riz en rubis, simplement en demandant au palmier de leur faire don de tout ce qu'il a pris à la terre et au soleil. Malgré ces savantes occupations, elles restent attentives aux causeries des hommes tenues mezza voce dans la cour mitoyenne. Les paroles leur parviennent, portées par un souffle de désir qui n'hésite pas à soulever leurs pagnes.

Les femmes ne m'invitaient pas souvent dans leur monde ; aussi ne partageais-je pas trop leurs activités. Même pour fêter mon retour, en dehors des finances elles ne m'associaient guère aux préparatifs. Je n'étais pas partie avec elles couper du bois pour le feu ; elles ne m'avaient pas appelée lorsqu'elles étaient sorties à l'aube. Je les avais entendues, mais je ne m'étais pas levée. Elles savaient que je n'aurais pas voulu y aller et je savais qu'elles n'auraient pas voulu que je vienne. C'était un accord tacite. Ma présence les dérange. Depuis longtemps, elles me considèrent comme une feignante qui ne sait rien faire de ses dix doigts à part tourner les pages d'un livre, une égoïste qui préfère s'isoler pour gratter du papier plutôt que de participer aux discussions dans le jardin attenant à la cuisine. Pendant ces jours d'effervescence, elles me regardaient écrire, errant d'un coin à l'autre, et ça les agaçait. Je lisais les reproches sous leurs cils noirs, mais mon silence les désarmait ; elles faisaient mine de m'ignorer. Mon stylo continuait à tracer ce chemin que j'avais emprunté pour les quitter. Chaque cahier rempli, chaque livre lu, chaque dictionnaire consulté est une brique supplémentaire sur le mur qui se dresse entre elles et moi. Pourtant, sans le savoir, elles favorisaient mon activité solitaire. On ne se jette pas dans des bras croisés : leur dédain me dispensait de toute formalité. Même assoiffé d'affection, on n'embrasse pas les oursins.

Au village, il m'arrive d'être heureuse qu'on me boude, c'est un moyen de gagner en tranquillité. La communauté traditionnelle est sans doute rassurante mais elle vous happe et vous asphyxie. C'est un rouleau compresseur qui vous écrase pour mieux vous digérer. Les liens tissés pour rattacher l'individu au groupe sont si étouffants qu'on ne peut songer qu'à les rompre. Certes, les champs du devoir et du droit sont mitoyens, mais le *hic*, c'est que le premier est si vaste qu'on passe sa vie entière à le labourer, et qu'on n'atteint le second que lorsque la vieillesse rend la liberté sans emploi. Le sentiment d'appartenance est une conviction intime qui va de soi ; l'imposer à quelqu'un, c'est nier son aptitude à se définir librement. Mais ça, allez le dire à des gens stoïques aux yeux desquels les valeurs grégaires sont seules défendables ! Ils fustigeront en vous l'individualiste, la copie de colon, et vous marginaliseront. Lorsque cette condamnation vous tombe sur la tête, les femmes sont les plus véhémentes. Sarcastiques, leurs phrases placides vous distillent de l'acide dans le sang, le roulement de leurs yeux vous met en orbite, et le battement de leurs cils claque, tel un fouet, pour vous chasser loin de leur estime. C'était pour les éviter ou, plutôt, parce que j'étais lasse de m'expliquer, de me défendre, que je préférais la compagnie des garçons ; sur ce point, ils étaient moins virulents. De toute façon, machos dès la naissance, ils ne trouvaient rien de choquant au fait que je puisse aller contre la volonté des femmes, fussent-elles leurs mères. En revanche, ils croyaient légitime de m'imposer la leur, sans se douter que la soif de liberté n'a cure du sexe de l'oppresseur.

Garouwalé, qui préparait le thé, allait de temps en temps servir les messieurs réunis sous l'arbre à palabres, avant de s'exposer aux plaisanteries grivoises des femmes. Il aurait pu sous-traiter le service, mais ce petit jeu lui permettait de parader devant les jeunes filles qui feignaient l'innocence près de leurs mères en quête d'un improbable gendre fortuné. Il revenait de la cour des dames, le sourire aux lèvres, et réintégrait aussitôt la discussion en cours au salon. Madické ou quelque autre de l'assistance lui résumait, à chaque fois, ce qui s'était échangé en son absence.

L'après-midi battait déjà de l'aile, l'ombre des humains s'était allongée vers l'est pour le reste de cette journée torride. Garouwalé prenait son temps. Le thé, ici, on sait toujours quand il commence, jamais quand il se termine. Agréable pour le repos des travailleurs, c'est aussi, dirait-on, la drogue idéale inventée pour dorloter les chômeurs, auxquels il fait oublier l'urgence de leur condition. En ce moment de paresse, où la vie semble ralentie l'espace d'une digestion, nous en étions au thé de l'amour.

Le thé, appelé ici *attaya*, comporte trois phases de dégustation, chacune précédée d'une très longue préparation. Pour la première, la dose de thé est très forte avec peu de sucre. L'infusion est servie fumante et très amère, difficile à avaler, supportable seulement par les habitués ; on l'appelle le thé de la mort. Lors de la deuxième phase, plus sucrée, la dose de thé est plus légère et on y ajoute de la menthe, ce qui donne une infusion très agréable à siroter. Aussi suave qu'une salive de premier baiser, le palais en est amoureux, c'est le thé de l'amour. Mais, hélas ! ce plaisir est éphémère et suivi d'une sorte de réminiscence : le troisième et dernier service, une eau jaunâtre, très sucrée, qui ne porte plus en elle que le souvenir du thé ; c'est le thé de l'amitié.

Garouwalé revenait de son deuxième service quand Madické lui résuma mes propos en ces termes :

– Elle dit que nous ne devons pas aller en France !

– Je n'ai pas dit ça, rectifiai-je, j'ai dit qu'il ne faut pas y aller à n'importe quelle condition.

– Sœurette, explique-toi, intima Garouwalé.

– Ben, je pense qu'il ne faut pas y aller comme ça, au hasard.

– Comment veux-tu qu'on y aille ? interrogea Madické. Nous devons peut-être attendre que Chirac vienne nous accueillir à l'aéroport ?

Ndétare écarquilla les yeux : il venait de se rendre compte que Madické, celui qu'il trouvait le plus raisonnable, le seul qu'il croyait avoir réussi à détourner du chemin de l'émigration, n'était pas moins pressé que les autres de faire ses valises. Lui qui disait : « Il faut semer les idées partout où elles sont susceptibles de pousser », et qui semait les siennes sans relâche, venait de constater, avec amertume, que l'Atlantique avait arrosé et stérilisé sa plantation. Ici, dans les marais salants, chacun est prêt à aller chercher sa part de canne à sucre ailleurs. Et chaque grain de sel brille de cet espoir.

— Dis-leur, supplia l'instituteur, dis-leur, toi qui viens de là-bas ! Peut-être t'écouteront-ils, ils me prennent pour un radoteur insensé. Avant, ils assuraient qu'ils voulaient y aller pour jouer au foot dans de grands clubs ; je n'étais pas dupe, mais je leur trouvais souvent des circonstances atténuantes, car il y avait encore dans leurs propos une petite parcelle de rêve, de poésie. Là, je n'ai plus de doute, ils sont franchement aveuglés par une avidité sans limites. Pourtant, ils entendent, comme nous tous, les informations en langues locales qui parlent des problèmes que rencontrent les nôtres là-bas. Mais rien n'y fait, même pour un poulailler en France ils seraient prêts à gager leur peau. Vas-y, dis-leur l'énormité de cette poutre qui leur crève les yeux et qu'ils ne veulent pas voir. Dis-leur tout ce que tu m'as raconté l'autre jour.

– Ne fais pas l'idiot! fis-je à l'adresse de mon frère, en essayant d'être brève. Tu vois bien ce que je veux dire. Il ne faut pas y aller les mains vides, sans papiers, en kamikaze. Ce n'est pas la maison du bon Dieu, on ne s'y parachute pas comme dans un champ de mil, en tout cas pas aussi facilement que vous l'imaginez.

– Hé! les gars! Ecoutez-moi la sœurette, lança Garouwalé, le Pique-feu. Maintenant qu'elle y est, qu'elle s'y fait son beurre, elle ferme la porte; c'est pour s'éviter d'avoir à nous héberger qu'elle dit tout ça.

– Il ne s'agit pas pour moi de vous décourager, mais de vous avertir. Si vous débarquez sans papiers vous courez au-devant de graves problèmes et d'une vie misérable en France.

– Eh, nous sommes des bosseurs, nous! Pas vrai, les gars? fit Madické, galvanisant inutilement ses alliés, déjà sur le pied de guerre. On est capables de trouver du boulot et d'assurer comme de vrais mecs. Regarde, t'y arrives, toi, et t'es qu'une nana. Il y a des vieux qui vivent peinards au village maintenant, ils ont réussi là-bas, eux. Alors, pourquoi pas nous?

– Détrompe-toi. Dans le temps, après la Seconde Guerre mondiale, ils accueillaient beaucoup de monde, parce qu'ils avaient besoin d'ouvriers pour reconstruire le pays. Ils engageaient en masse des immigrés d'origines diverses qui, chassés par la misère, acceptaient d'aller tutoyer la mort au fond des mines de charbon. Beaucoup de ces gens ont payé des cotisations pour une retraite qu'ils ne toucheront jamais. Rares sont ceux qui ont vraiment réussi. Les Africains, toutes vagues confondues, vivent en majorité dans des taudis. Nostalgiques, ils rêvent d'un retour improbable dans leur pays d'origine ; pays qui, tout compte fait, les inquiète plus qu'il ne les attire, car, ne l'ayant pas vu changer, ils s'y sentent étrangers lors de leurs rares vacances. Leurs enfants, bercés par le refrain *Liberté, Egalité, Fraternité*, perdent leurs illusions lorsque, après un combat de longue haleine, ils se rendent compte que la naturalisation enfin obtenue n'ouvre pas davantage leur horizon. Le petit carton de la nationalité ne se colle pas sur le front ! A moins de se tailler des tchadri dans le drapeau de Jeanne d'Arc, ils n'ont aucun moyen de convaincre les défenseurs de la préférence épidermique de leur légitimité tricolore. En Europe, mes frères, vous êtes d'abord noirs, accessoirement citoyens, définitivement étrangers, et ça, ce n'est pas écrit dans la Constitution, mais certains le lisent sur votre peau. Alors, vous comprenez, il ne vous suffira pas de débarquer pour mener la vie de ces touristes smicards qui vous font baver, en vous abandonnant leurs pacotilles *made in Paradis*. Maintenant, là-bas aussi il y a le chômage. De quels atouts disposez-vous qui puissent vous garantir d'y réussir? Quand on a les dents longues, il faut avoir les gencives solides. Clandestins, sans diplôme ni qualification, vous risquez de galérer longtemps, si toutefois vous avez la chance de ne pas vous faire cueillir par une police prête à vous étouffer dans un charter.

— Eh oui! s'extasia Ndétare, écoutez bien, puisque vous êtes bornés, vous voyez bien que je ne vous racontais pas une tragédie antique! Je sais bien qu'il y a des vaches grasses en Normandie, mais la France, ce n'est pas une verte prairie pour moutons perdus! Attention aux épines, mes enfants, attention!

— T'exagères un peu, tempéra l'intello de la bande, qui venait d'être renvoyé du lycée pour redoublements fréquents. Je connais deux gars de la ville où j'étudiais, ils sont partis depuis deux ans et ils y sont encore; on ne les a pas renvoyés malgré leur simple visa de touriste. D'ailleurs, mon pote Samba, leur petit frère, s'en va bientôt les rejoindre. C'est certainement moins dur que ce que tu nous racontes. Regarde tous les étrangers qui jouent dans leur équipe nationale. En plus, en ce moment, le

Premier ministre est socialiste, comme Senghor ; c'est la gauche qui est au pouvoir, comme on dit, des gens qui aident les pauvres, quoi.

— Sauf que, ça, là-bas, nul ne s'en aperçoit. Les gouvernements changent, mais notre sort, comme celui de leurs démunis, reste le même. Certains échangeraient volontiers leur vie contre la tienne. Blottis sous les ponts ou dans les dédales du métro, les SDF doivent parfois rêver d'une cabane en Afrique. Tu me fais rire avec ton analyse politique. Ta gauche de l'espoir est une gauche caviar qui soûle les pauvres de discours creux, avant d'aller s'empiffrer tranquillement de sa bonne conscience. La gauche reste notre mère à nous, les humbles, mais c'est une mère qui trop souvent nous refuse son lait et se contente d'exhiber ses beaux seins. Quant à leur politique d'intégration, elle vaut tout au plus pour leur équipe nationale de football. *Blacks, Blancs, Beurs*, ce n'est qu'un slogan placardé sur leur vitrine mondiale, comme une mauvaise publicité de Benetton, juste une recette : *Bœuf, Braisé, Beurré*, que les chaînes de télévision s'arrachent à coups de millions. Les étrangers sont acceptés, aimés et mêmes revendiqués seulement quand, dans leur domaine, ils sont parmi les meilleurs. *Blacks, Blancs, Beurs*, si ça allait de soi dans la société française, on n'aurait pas besoin d'en faire un slogan. Ce n'est qu'une poudre de rêve qu'on nous jette aux yeux pour nous cacher de dures réalités.

— Et tu proposes quoi contre notre galère ici? Hein! cria Garouwalé, qui en avait oublié de terminer son thé. Tu proposes quoi? Nous donner à bouffer le temps que dureront tes vacances? Et après, on fait quoi? Tu nous proposes de rester tranquilles en attendant de crever la gueule ouverte? Eh bien, c'est non! Tu ferais mieux d'emmener ton frère au lieu de te trouver des prétextes pour encore le laisser là. Sache que tout le monde ici pense que t'es égoïste de pas l'aider à partir. On se débrouillera sans toi, on va y aller quel que soit le prix à payer. Nos parents vont vieillir sans retraite, nos petits frères et nos petites sœurs comptent sur nous! *Chaque miette de vie doit servir à conquérir la dignité!*

— Il faut se rendre à l'évidence, petits, conseilla Ndétare paternaliste. Samba s'en va, mais il risque de revenir les valises pleines de déception. Ici comme là-bas, les idées de Marx se meurent, et les arbres d'espoir que nous avons plantés en 68 n'ont donné que de bien maigres fruits; la modernité nous laisse en rade, en dehors de la pilule tout reste à faire. Et même la pilule, je crois qu'il faudrait la programmer dans un riz génétiquement modifié afin d'obliger les femmes à s'en servir ; si seulement les féodaux qui leur servent d'époux pouvaient arrêter de mesurer leur virilité au nombre de leurs enfants. Ça aussi, petits, c'est le sous-développement et ça se joue dans les mentalités. Essayez de ne pas reproduire les erreurs de vos pères et vous verrez que, même sans aller à l'étranger, vous aurez plus de chances qu'eux de vous en sortir ici. D'accord, soyez prêts au départ, allez vers une meilleure existence, mais pas avec des valises, avec vos neurones ! Faites émigrer de vos têtes certaines habitudes bien ancrées qui vous chevillent à un mode de vie révolu. La polygamie, la profusion d'enfants, tout cela constitue le terreau fertile du sous-développement. Nul besoin de faire des mathématiques supérieures pour comprendre que plus il y a de gens, moins grande sera la part de pain à partager.

Comme à l'accoutumée, Ndétare parlait avec ferveur. Ses longues mains virevoltantes semblaient dessiner la bulle opaque où tourbillonnait le sens de ses propos. L'attention des garçons se trouvait ailleurs, hors de portée. Toute parole raisonnable était devenue superflue. Muette, j'admirais la patience de l'instituteur. Comment pouvais-je faire comprendre à ces jeunes qu'il n'était pas évident de vivre en France, alors que moi-même j'y habitais depuis tant d'années ? Il y a des situations où il est plus facile de laisser l'autre aller jusqu'au fond du cul-de-sac ; dégoûté, il aura certes perdu du temps, mais la nécessité de faire volte-face lui apparaîtra plus clairement que par le truchement d'un discours, fût-il bien intentionné. Je quittai le salon et laissai les garçons ruminer leur colère.

10

De l'air! Marcher, vite. Haleter : ouf! ouf! Dehors, les cocotiers se balançaient à la recherche d'une position idéale, et leur crinière semblait repousser le couvercle bleu de l'atmosphère. Marcher. Lentement. Respirer. Soudain, je me sentis isolée. Avec qui parler? Les amitiés d'enfance résistent parfois au temps, jamais à la distance; la différence des itinéraires nous sépare et ne nous laisse qu'une liste de prénoms qui, petit à petit, perdent leur tête et leur mélodie autrefois rassurante. Chez moi, j'étais nostalgique de l'ailleurs, où l'Autre est mien autrement. Et je pensais à ceux qui, là-bas, trouvent ma tristesse légitime et me consolent, quand l'Afrique me manque. Plusieurs visages se succédèrent dans ma tête. Arrêt sur image! Et les voilà, tous, qui me souriaient; j'aurais donné n'importe quoi pour les avoir à mes côtés.

Evoquer mon manque de France sur ma terre natale serait considéré comme une trahison, je devais porter cette mélancolie comme on porte un enfant illégitime, en silence et avec contrition. Enracinée partout, exilée tout le temps, je suis chez moi là où l'Afrique et l'Europe perdent leur orgueil et se contentent de s'additionner : sur une page, pleine de l'alliage qu'elles m'ont légué.

Je faisais encore les cent pas, le long de la concession, pour me calmer, quand la voix amicale de Ndétare me parvint, douce comme une consolation :

— Viens, allons nous faire un petit thé chez moi. J'ai du *bissap* au frais, ça devrait faire du bien à une petite Française malmenée par la chaleur, à moins que tu ne préfères une noix de coco.

— Les deux me conviennent, si monsieur mon instituteur n'y voit pas d'inconvénients.

Nous nous mîmes en route vers sa demeure, une aile de l'école primaire. Voyant qu'il m'avait rendu mon sourire, Ndétare enchaîna :

— Tu sais, il faut les comprendre, la plupart de ces garçons ne reçoivent que des bouches à nourrir en guise d'héritage. Malgré leur jeune âge, beaucoup sont déjà à la tête de familles nombreuses et on attend d'eux ce que leurs pères n'ont pas réussi : sortir les leurs de la pauvreté. Ils sont harcelés par des responsabilités qui les dépassent et les poussent vers les solutions les plus désespérées. J'essaie de les raisonner, mais je mesure bien cette angoisse de l'avenir qui les rend agressifs. Tous ces enfants à élever, avec si peu de moyens...

Nous poursuivions la discussion en marchant. « On devrait faire attention à la santé des femmes », disait-il, et je me réjouissais d'entendre un homme parler ainsi. Ndétare était le seul homme sur l'île à militer, avec l'infirmier, pour le planning familial. Directeur de l'école primaire, il occupait une position stratégique lui permettant de mesurer la surnatalité. Mais, outre ses classes bondées, la situation géographique de son logement de fonction lui offrait un observatoire de choix. Il habitait juste derrière le lac Nguidna. Arrivée à cet endroit, je marquai une brève halte.

— Toi aussi, petite, tu jouais ici, dit-il en souriant.

— On peut s'asseoir un instant ? lui demandai-je en m'installant.

Il m'imita en silence.

Nguidna, entre le vieux village de Niodior et le nouveau quartier érigé sur la dune de Diongola, est un petit lac, aussi rond qu'un cul de poule et moins profond qu'une marmite de sorcière. Quelques cocotiers narcissiques ainsi que des palmiers, émigrés du désert d'Arabie, feignent des postures de sentinelle afin de se mirer à loisir dans cet œil sans paupières. Ce lac irriguait la mémoire de mon enfance et y faisait germer cette plante aimant l'arcure, le souvenir.

Nous écoutions la brise crépusculaire chuchoter dans le feuillage des arbres. Khôk! Khôk! Le soleil venait de fermer son sourire et, déjà, un crapaud-buffle annonçait d'un coassement retentissant l'ouverture du concert nocturne, qu'il assurait inlassablement avec ses congénères. Le chœur ne tarda pas à taquiner la cime des cocotiers et les oreilles pieuses du muezzin qui, armé de sa foi, matraquait le silence paisible du village.

— Finalement, notre thé s'est transformé en dîner, lança Ndétare, on y va? Si tu veux raviver tes souvenirs de barboteuse lacustre, il te faudra revenir en plein jour.

Aux premières lueurs du soleil, le chant des crapauds-buffles s'estompait. L'après-midi, on pouvait apercevoir d'énormes boules noires, émergées, surmontant de petits membres agiles, dont le frétillement trouait la peau souple du lac Nguidna. Des têtards? Non, pas vraiment. Des piaillements joyeux montaient du nid aquatique. Plus on s'approchait, mieux on distinguait, sur chacune des boules, une double rangée de perles blanches, surplombée de deux cauris mobiles. Cette vision fantasmagorique laissait apparaître la réalité, quand, au seuil du lac, on daignait imiter la fixité des cocotiers alentour. Alors on voyait des bancs d'enfants, garçons et filles, armer leur bouche et se lancer des missiles d'eau. Puis, ils en sortaient habillés d'innocence, couraient se rouler, un moment, dans le sable tiède et revenaient se rafraîchir. Chaque fois qu'ils replongeaient, ils se mettaient à simuler une bataille navale où des écorces de noix de coco faisaient office de torpilles, n'atteignant leurs cibles imaginaires qu'avec la complicité de l'adversaire. D'autres faux régiments sillonnaient les ruelles du village, investissaient des places où ils mettaient en scène l'horreur guerrière des grands, vue à la télé, comme pour mieux la conjurer.

Le nombre d'enfants dans le village est impressionnant. Presque toutes les femmes en âge de procréer se promènent avec un bébé sur le dos ou sous la robe. Les petits tombent du ciel, pluie de bonheur ou nuée inquiétante de sauterelles, c'est selon. Certaines familles ont de quoi constituer chacune une équipe de football avec ses remplaçants. Les polygames, à cœur-quadrige, eux, pourraient même s'offrir le luxe d'arbitrer des tournois à domicile.

Au calme, dans la véranda de Ndétare, nous partageâmes le dîner, le thé, le clair de lune et toutes ces réflexions qui nous attiraient l'inimitié des villageois. Qu'adviendrait-il de ces déferlantes de progéniture ? Tous ces régiments bientôt décimés sur la zone rouge du tiers-monde, par le sida, la dysenterie, le paludisme et les bazookas économiques dirigés vers nous depuis l'Occident. Dévaluation ! Démolition de notre monnaie, de notre avenir, de notre vie tout court ! Sur la balance de la mondialisation, une tête d'enfant du tiers-monde pèse moins lourd qu'un hamburger. Et les femmes persévèrent ! Aveugles ou aveuglées, elles courent au sacrifice, sur l'autel de la maternité, à la gloire d'un dieu qui ne leur a donné que des ovaires pour justifier leur existence. Au puits, aux champs, sur les marchés, chair à canon sur le front de la pauvreté, elles demandent à leur corps de donner jusqu'à son dernier souffle de vie. Ndétare me parla de deux de mes anciennes camarades, mortes en couches. Ici, on ne compte plus les parturientes et les nouveau-nés qui meurent par manque de médicaments, mais ça ne décourage personne. Promptement enterrés, on les oublie aussi vite que des songes. Puisque nul ne profite de l'ombre des stèles, laissons le vent aplanir le sable de l'île ! Artisanes fatalistes, les mères sans cesse fabriquent et sans cesse remplacent de nombreux petits soldats qu'elles voudraient de plomb afin qu'ils résistent aux dents acérées de la pauvreté. Ici, accrochés aux gencives de la terre, les humbles ne redoutent plus les tempêtes de la vie, ils savent que l'Atlantique ne les engloutit que par pitié.

Les cendres du fourneau refroidissaient, les cocotiers avaient ralenti leur danse païenne; seul le cliquetis des tasses, que rinçait l'instituteur, accompagnait le coassement des crapauds-buffles. Le recueillement, nous le savions, ne correspond guère à l'ambiance d'une soirée de vacances. Soucieux de détendre l'atmosphère, Ndétare exhuma les perles ramassées dans son bêtisier scolaire et se mit à égrener le chapelet de nos souvenirs communs.

— Te souviens-tu de ce fameux jour où je vous avais demandé en classe, c'était en CM1 : quel métier voudrez-vous exercer quand vous serez grands?

Nous éclatâmes de rire. Ce jour-là, beaucoup de garçons avaient répondu : instituteur, infirmier, gendarme, sous-préfet, désignant ainsi les seuls fonctionnaires que nous connaissions au village. Ndétare s'était alors enquis des motifs de ces choix. Réponse unanime : parce qu'ils avaient de beaux habits, gagnaient de l'argent et n'avaient pas besoin d'aller travailler aux champs. Puis une fille avait levé la main et déclaré :

— Moi, je veux faire maman!

— Mais ce n'est pas un métier, voyons, avait remarqué Ndétare dans un rire crispé. Il faut un métier, un travail pour gagner de l'argent, avoir de quoi vivre, tu comprends?

— Ah si! c'est même un bon métier! Mon père dit qu'en faisant maman on peut gagner le paradis, et c'est beaucoup mieux que de l'argent. Pour les achats, c'est à l'homme de décider, c'est à lui de gagner de l'argent. Quand je serai grande, je ferai seulement maman, comme ma maman, et j'obéirai à mon mari pour aller au paradis, c'est ça qu'il a dit, mon père.

— Eh oui, petite! taquina Ndétare, déçu, mais riant aux larmes. Tu risques d'aller au paradis, et même plus vite que tu ne penses ...

Les explications de l'instituteur se perdirent dans les ricanements. Le frère de la jeune fille leva la main.

— Oh non! Pas toi! Je suppose que tu vas nous annoncer ta vocation de polygame, avec pour mission d'accroître le nombre de musulmans sur Terre, ça aussi, ça doit ouvrir les portes du paradis, n'est-ce pas?

— Oui, monsieur, acquiesça le garçon, solennel, c'est ça qu'il a dit, mon père.

Un rire jaune n'est pas fait pour persister; malgré notre désir d'être légers, nous ne trouvions pas de sujet vraiment approprié. Il semblait plus reposant d'aller confier à nos oreillers tout le poids de la journée. La lune se noyait dans le lac Nguidna. La nuit était bien avancée, on n'apercevait plus aucune fenêtre lumineuse, à part celles de ma grand-mère ; Ndétare me raccompagna. Sur le pas de la porte, il marqua une pause :

— Figure-toi que, plus de vingt ans après, il y a toujours des enfants qui me répètent le même refrain. Et même, ça s'est aggravé, depuis que les prédicateurs ont entrepris de traverser le désert pour venir déverser leur obscurantisme religieux par ici. Imagine-toi que sur notre terre, autrefois animiste et païenne, on rencontre maintenant de plus en plus de femmes voilées ; certaines de mes écolières viennent ainsi en classe, soit parce qu'elles imitent leur mère, soit parce qu'elles obéissent à un père zélé qui s'est subitement découvert une foi de prosélyte. En écoutant les informations, je me rends compte que de faux dévots sont en train d'envahir le pays ; pour propager leur doctrine, ils ouvrent des instituts, sous couvert d'aide humanitaire, et disséminent des écoles arabes jusque dans les campagnes. Mais ils sont malins, on ne les voit pas ; ce sont ceux qu'ils tiennent sous leur joug qui s'occupent de tout. Comme de bien entendu, l'Etat n'y voit pas malice et prend prétexte de ces avancées pour se dispenser de résoudre lui-même les problèmes. Comme pour la colonisation, on se réveillera trop tard, quand les dégâts seront irrémédiables. En échange de quelques bienfaits, des populations sans connaissance approfondie du Coran suivent ces obscurs prêcheurs comme des moutons. Et puis, pourquoi nos dirigeants voudraient-ils s'attaquer à ceux qui viennent faire les choses à leur place?

La lune courtisait les nuages, j'imaginais la mine assombrie de l'instituteur au ton de sa voix. Mais il tenait à me laisser sur une impression plus joviale :

— Et toi, tu voulais faire Sokhna Dieng! Tu croyais que je l'avais oublié? Eh non! D'ailleurs, je comprends mieux maintenant...

Sokhna Dieng, c'est l'une des premières journalistes de la télévision sénégalaise. Petite, je l'avais vue à l'écran pour la première fois lors d'un séjour à Kaolack avec ma grand-mère. De retour au village, je ramassais souvent des journaux, après quoi j'épuisais les piles de la radiocassette de ma grand-mère : j'enregistrais mes lectures en m'efforçant d'imiter au mieux la voix et les manières de Sokhna Dieng.

— Arrête! criait ma grand-mère, exaspérée. Dieu seul sait quand tu pourras m'offrir des piles, ça suffit maintenant!

— S'il te plaît, encore une fois, suppliai-je, je veux parler français aussi bien que Sokhna Dieng.

La douceur, la grâce, l'aisance apparente avec laquelle cette femme s'exprimait, la façon qu'elle avait, sur un plateau télé, d'attribuer la parole aux uns et aux autres d'un geste souple de la main, sans jamais se laisser interrompre, même par les plus belliqueux de ses invités, me fascinaient : une femme qui avait droit à la parole!

L'évocation de ce souvenir nous fit rire aux éclats. Avant même que Ndétare n'ait eu le temps de tirer ses conclusions, je l'interrogeai :

– Vaut-il mieux être un enfant avec des rêves et devenir un adulte qui sait gérer ses désillusions, ou être un enfant sans rêves et devenir un adulte agréablement surpris par ses succès occasionnels?

Ndétare s'était lancé dans une analyse philosophique. La porte du salon s'ouvrit, ma grand-mère passa légèrement la tête et feignit la surprise :

– Dites donc, vous deux, là, vos voix fendent la nuit! Qu'avez-vous à vous dire qui doive remplacer le chant du coq? Méfiez-vous de ce village, la nuit est le domaine des sorcières et, à l'heure où elles sont en train de sortir leurs chaudrons, vous, proies faciles, vous errez dehors, sans attendre l'œil du jour pour vous guider. *Athia, héye,* dépêche-toi! Tu possèdes peut-être un pouvoir occulte, mais moi pas, je vais fermer la porte.

Ne vous y trompez pas, ces paroles étaient prononcées dans un rire étouffé, avec une infinie tendresse. J'en avais les larmes aux yeux. Je pensai à ma vie solitaire en Europe, où personne ne se soucie de mes allées et venues, où seule ma serrure compte mes heures d'absence. Un e-mail ou un message sur le répondeur téléphonique, ça ne sourit pas, ça ne s'inquiète pas, ça ne s'impatiente pas, ça ne vide pas une tasse de café, encore moins un cœur plein de mélancolie. La liberté totale, l'autonomie absolue que nous réclamons, lorsqu'elle a fini de flatter notre ego, de nous prouver notre capacité à nous assumer, révèle enfin une souffrance aussi pesante que toutes les dépendances évitées : la solitude. Que signifie la liberté, sinon le néant, quand elle n'est plus relative à autrui? Le monde s'offre, mais il n'enlace personne et ne se laisse pas enlacer. La petite chaîne imaginaire, que ma grand-mère tendait entre nous, me restituait de l'équilibre. Elle est le phare planté dans le ventre de l'Atlantique pour redonner, après chaque tempête, une direction à ma navigation solitaire. Avec elle, j'ai compris qu'il n'y a pas de vieillards, il n'y a que de vénérables phares. Sédentaire, elle est l'ultime port d'attache de mon bateau émotionnel, lancé au hasard sur l'immensité effrayante de la liberté. Sa douce voix dans la nuit, c'était le souffle d'une mère sur les brûlures de son enfant. Ndétare le savait. Il renouvela son invitation pour le lendemain et nous adressa quelques amabilités avant de s'éclipser, narguant les esprits de la nuit. Lui, ça faisait longtemps que personne ne l'attendait plus, et peut-être rêvait-il secrètement de tomber dans une marmite de sorcière, afin qu'il se passât, enfin, quelque chose dans sa vie.

Puisque je n'étais plus la bienvenue à la pause-thé des garçons, je me rendais plus souvent chez lui, et seule ma grand-mère savait à quelle heure je rentrais. L'Atlantique grondait, les vagues mordaient les flancs de l'île, personne ne donnait de la voix, mais une brise tiède et nauséabonde répandait son murmure dans toutes les cours de cuisine. La rumeur se récoltant plus vite que la fleur de sel, on s'en servit pour assaisonner les dîners. L'atmosphère du village devenant irrespirable, je m'éclipsai.

11

Il me restait encore quelques billets, assez pour m'offrir un court séjour dans un petit hôtel sans prétention. Une virée à M'Bour, cette ville de la Petite Côte où j'avais fait une partie de ma scolarité, s'avéra judicieuse. D'abord la traversée en pirogue, jusqu'à Djifère, puis le car rapide, qui souleva des nuages de poussière sur la piste cahoteuse jusqu'à Joal, avant de se faufiler sur une lamelle de goudron, et me voilà happée par une nuée de vendeurs à la gare routière de M'Bour. Vite, un taxi!

Le soir même, j'entrepris une longue promenade. Comme une épouse infidèle, j'avais besoin de reprendre mes aises dans les lieux que j'avais quittés, à l'époque où j'ignorais encore la blessure que recouvre le mot nostalgie.

La mer, soucieuse de garder son autorité sur M'Bour, avait envoyé sa fille, Brise, chasser Harmattan, le fils du Sahara, qui nous avait étouffés toute la journée. Le parfum marin arrivait par bouffées. La lune était claire, mais il y avait peu de promeneurs sur mon chemin. Je compris assez vite pourquoi : au loin, dans les dédales de la ville, des hommes encore jeunes rivalisaient de puissance physique. Aucun doute : il y avait une séance de lutte. Le rythme du tam-tam à lui seul suffisait à certifier la nature de l'événement. La chanson qui me parvint acheva de me le signifier. Son air était propre aux chants des séances de lutte. Nulle équivoque quant au sens : c'était un appel à la vanité masculine, déclamé par des sirènes d'ébène. Je tendis l'oreille, puis me mis à siffloter :

> *Lambe niila. (Trois fois)*
> *Domou mbeur djéngoul, beuré, dane.*
> *Do sène morôme.*

Ce qui signifie :

> La lutte c'est ainsi. (Trois fois)
> Toi, fils de lutteur, attache ta ceinture, lutte
> [et terrasse.
> Tu n'es pas leur égal.

Je m'arrêtai un instant, comme pour m'imprégner de la magie de cette litanie rythmique. Une vague d'émotion déferla en moi. Aucune fille d'Afrique, même après de longues années d'absence, ne peut rester froide au son du tam-tam. Il s'infiltre en vous, tel du beurre de karité dans un bol de riz chaud, et vous fait vibrer de l'intérieur. La danse devient alors un réflexe : elle ne s'apprend pas, car elle est sensation, expression de bien-être, réveil à soi-même, manifestation de la vie, énergie spontanée. Ram-tam-pitam !

Nuit mbouroise, laisse-moi entendre le battement de ton cœur et, pour toi, je transformerai mes muscles en cordes de kora ! La tête vrillée par ce son ancestral, les pieds enfoncés dans le sable froid des soirs côtiers, on ne saurait mieux s'imbiber de la sève de l'Afrique. C'est comme une communion venue du plus profond des âges. On peut remplacer nos pagnes par des pantalons, trafiquer nos dialectes, voler nos masques, défriser nos cheveux ou décolorer notre peau, mais aucun savoir-faire technique ou chimique ne saura jamais extirper de notre âme la veine rythmique qui bondit dès la première résonance du djembé. Raison et sensibilité ne s'excluent point. Malgré les coups assenés par l'Histoire, ce rythme demeure, et avec lui notre africanité, n'en déplaise aux prêcheurs de tout bord. Ah ! comme il était bon d'être là ! Je suis heureuse, heureuse ! répétai-je.

Immobile, plongée dans mes pensées, je n'avais pas atteint la place où se tenait la séance de lutte. Emportée par le dieu du tam-tam, je m'apprêtais à devenir sa prêtresse quand soudain un silence brutal me tira de mon recueillement. Les tam-tams s'étaient tus, annonçant la fin de la séance de lutte. La lune était fière de son allure et finissait sa course. Je n'avais pas pu admirer la danse des lutteurs, mais je n'en gardais aucune frustration. Me promettant d'aller, le lendemain, jusqu'au lieu du spectacle, je regagnai mon hôtel.

Alors que je traversais le hall, le réceptionniste, qui semblait me guetter, vint à ma rencontre, armé d'un sourire pathétique :

— Bonsoir, madame. Ma femme vient d'accoucher, elle est à l'hôpital, elle ne va pas bien. Il faut des médicaments et je n'ai pas assez d'argent pour les acheter. Je sais que madame comprend. Alors, si madame veut bien m'aider et sauver sa sœur ? Le bébé est une fille, je l'appellerai comme vous, vous avez un joli prénom.

Je m'esclaffai, son regard rétréci m'amusait.

— Vous êtes musulman ?

— Ah oui ! Comme la plupart des Sénégalais.

— Et c'est votre premier enfant ?

— Oui, la toute première !

— Et vous voulez me faire croire que vous allez

lui donner ce prénom en mon honneur ? Il faut réserver ce genre de flatterie aux touristes.

Nous éclatâmes de rire : mon prénom, des plus courants au Sénégal, est communément donné à l'aînée des familles musulmanes. Il est en outre si facile à prononcer que les coopérants en affublent volontiers leurs petites bonnes. Le réceptionniste riait de bon cœur, sachant son manège peu convaincant. L'hôpital, les médicaments, les trémolos dans la voix, c'était bon pour les gogos. Il n'était pas le seul à utiliser de telles ficelles pour essayer de soutirer quelque argent à de supposés nantis venus de France. Déjà sur mon île, un homme s'était montré meilleur comédien que lui : venu un beau matin me demander, la larme à l'œil, de payer une ordonnance pour son fils malade, il me convainquit de mettre la main à la poche. L'après-midi même, je vis ce fiston grabataire traverser le terrain de foot comme une flèche, et semer la terreur dans l'équipe adverse...

— Dans deux jours, juste avant de partir, je verrai s'il me reste quelque chose pour vous.

— OK, madame, c'est sympa, fit-il en riant.

Il me souhaita bonne nuit avec une jovialité mâtinée de honte. A mon arrivée, en début d'après-midi, il avait d'abord hésité à me donner une chambre :

– Ta carte d'identité? Dis à ton client qu'il doit d'abord payer la chambre, avait-il déclaré.

– Mais quel client? Ça ne va pas, non? avais-je rétorqué, avant de me raviser. Je suis en vacances, voilà mon passeport et ma carte de résident.

– Ah, une *Francenabé*! Excusez-moi, madame. Bienvenue chez nous. Donnez-moi votre sac, je vais vous montrer votre chambre.

Après avoir inspecté les lieux et constaté que tout était à peu près en ordre, je m'étais affalée sur le lit. Les phrases du réceptionniste dansaient dans ma tête : *Bienvenue chez nous*, comme si ce pays n'était plus le mien! De quel droit me traitait-il d'étrangère, alors que je lui avais présenté une carte d'identité similaire à la sienne? Etrangère en France, j'étais accueillie comme telle dans mon propre pays : aussi illégitime avec ma carte de résident qu'avec ma carte d'identité!

Aussi bizarre que cela puisse paraître, c'était grâce à ma carte de résident française, synonyme de solvabilité, que j'avais pu obtenir une chambre d'hôtel dans mon propre pays. Puis ces mots vinrent chasser mes questions identitaires : *Dis à ton client...* Avant de savoir que je venais d'Europe, il avait prêté des motifs peu respectables à ma venue à l'hôtel. Je ne lui en voulais pas : d'ordinaire, les hôtels du tiers-monde ne profitent qu'aux touristes.

Ville de la Petite Côte sénégalaise, M'Bour est infestée d'hôtels dont la majorité de ses habitants ne connaît que la façade. Les autochtones qui les fréquentent assidûment ne doivent généralement ce privilège qu'à leur statut de réceptionniste, valet de chambre, femme de ménage, cuisinier ou chauffeur.

Les hôtels sont plantés là, monstrueux sur leur socle doré. Comme l'Etat tient énormément aux devises du tourisme, il laisse les investisseurs étrangers s'approprier les plus beaux sites côtiers et payer leurs employés au lance-pierres. Le steak pour le puissant, l'os pour le pauvre! Ainsi soit-il au royaume du capitalisme qui s'étend jusque sous les cocotiers. Les rats qui mangent moins vivent plus longtemps, il nous reste, au moins, cette lueur d'espoir! Mais les anorexiques ont-ils encore besoin de régime amincissant?

Laissez fonctionner l'hôtellerie, au bon plaisir des touristes occidentaux! Ne soyez pas trop regardants sur ce qu'ils y font, il ne faut surtout pas les froisser. Il faut fidéliser la clientèle! Tant pis si quelques libidineux viennent uniquement visiter des paysages de fesses noires, au lieu d'admirer le Lac rose, l'île aux oiseaux, nos greniers vides et nos bidonvilles si pittoresques. D'ailleurs, pour arrondir leurs fins de mois, certains réceptionnistes, lassés de soupeser les cartes de crédit, savent dénicher, sur demande, quelques beautés cannelle, des poules de luxe au sourire mielleux, habituées à danser le rigaudon.

Quant aux filles en free lance, trop moches pour espérer le coup de fil du réceptionniste ou optimistes se fiant au hasard, depuis les rives de l'Atlantique jusqu'au cœur de Bamako, elles arpentent inlassablement les couloirs d'hôtel en répétant la formule rituelle : *C'est l'amour qui passe.* Et l'amour passe toujours, sans elles. Expertes polyvalentes, prêtes à tout, auxquelles manquent pourtant les moyens nécessaires pour gonfler leur poitrine de silicone, elles écoutent la mélodie de leurs talons dans les longs corridors, en attendant d'élargir leur marché d'un coup de bistouri. Fatigués de rafistoler les victimes des guerres tribales pour des salaires de misère, les chirurgiens africains devront amputer la gangrène politique, ou se résoudre à manger au râtelier des poules de luxe en fabriquant la Barbie tropicale à la chaîne.

Alors, messieurs les clients, quand votre routoutou bien flatté transpire et se dégonfle, implorant le repos, ayez l'obligeance de gonfler la facture, ça fera plaisir à *mameselle*, même si votre tête tient dans le bonnet de son soutien-gorge. Si, inversement, vous privilégiez les produits non génétiquement modifiés et que vous êtes fatigués des Lolo Ferrari, cette autochtone si vraie, si nature, vous restera fidèle et saura combler vos exigences, à chacun de vos voyages. Mais, soyez gentlemen, épargnez-lui votre sourire lorsqu'elle saisira votre billet en marmonnant « *merci, c'est-riz* » au lieu de « merci, chéri », n'y voyez aucun défaut de prononciation. Et si d'aventure elle s'accroche au bras du sida et vous pose un lapin, vous pourrez toujours aller lui chuchoter quelques mots doux au cimetière de Bel-Air, votre porte-monnaie n'en souffrira pas.

Pour mesdames les touristes venues réveiller leurs corps en carence d'hormones, pas d'inquiétude : en échange de quelques billets, d'une chaîne ou d'une montre même pas en or, un étalon posera ses plaques de chocolat sur leurs seins flasques et les arrosera de son nectar jusqu'au bout des vacances. Après quoi, tous ces amoureux de l'Afrique s'en retourneront, bronzés et frétillants. Ils affirmeront à qui voudra l'entendre, en exhibant des photos du marché Sandaga et un masque acheté au même endroit : « Ah, le Sénégal, quel magnifique pays ! On y retournera ! » Et ils tiennent parole. Dans les flots, les naufragés ne distinguent pas le papayer de l'ébénier, ils s'accrochent à un radeau, c'est tout. Mesdames, messieurs, bienvenue au Sénégal !

Le lait dans les narines, les dents longues et le ventre vide, de jeunes Africaines se marient, comme on descend au fond d'une mine de diamants, avec des croulants occidentaux qui n'ont plus que le charme de leur bourse pour séduire.

Derrière les plages africaines ou dans les cubes de béton européens, nombreuses sont ces Vénus noires qui vont tous les soirs au lit comme Jésus sur la Croix. Résignées, elles lavent des dentiers, veillent leur dinosaure, espèrent la jouissance d'un doigté tremblant ou de la compassion d'un plombier de passage. Conscientes de traîner un utérus inutile, elles espèrent être veuves avant la ménopause et luttent pour rester belles. Martyres de la pauvreté, seules les sommes qu'elles envoient au pays, pour nourrir les leurs, les consolent. Tenez, mes frères, prenez et mangez, ceci est ma chair, ratatinée occidentalement pour vous! Pas hosanna! Juste un requiem. Les Cupidons d'ébène dans la même situation sont plus chanceux. Certains, pour s'assurer une descendance, se trouvent une deuxième épouse qu'ils laissent au pays et viennent visiter à intervalles irréguliers.

Mais si l'industrie touristique déverse un flot de vieux touristes pathétiques, prêts à s'acheter des noces, elle fait également déferler des hordes de névrosés amateurs de chair fraîche. Les lots qui fidélisent ces derniers ne figurent dans aucun catalogue. Ce sont des chrysalides auxquelles on ne laisse pas le temps de déployer leurs ailes, des fleurs écrasées avant d'éclore. L'Atlantique peut laver nos plages mais non la souillure laissée par la marée touristique.

Après quelques jours de distraction à M'Bour, je retournai terminer mes vacances au village, la tête pleine d'images et de chants de lutte, le corps relaxé par quelques vagues bienveillantes. Ce fut donc sans animosité que je retrouvai les jeunes, à la rituelle pause de thé. Assagie depuis la discussion houleuse de la semaine précédente, je voulais éviter tout accrochage avant mon départ. Ecartant toute allusion à la France, je revenais sans cesse sur mon séjour à M'Bour :

– J'étais vraiment contente de revoir M'Bour. La ville ne ressemble plus à ce qu'elle était pendant mes années de lycée, mais j'étais si heureuse...

– Aussi heureuse qu'en arrivant en France ? m'interrompit la voix malicieuse de Garouwalé.

Il était encore là, plus effronté que jamais.

Ah ! Sacrée France, c'est peut-être parce qu'elle porte un nom de femme qu'on la désire tant. L'interpellation ne me surprit point, elle émanait de l'envie que suscitait mon départ imminent. Je feignis le détachement et entrepris de leur raconter, avec une intention qui n'échappa à personne, la première bienvenue que m'avait souhaitée la France et qui, après de longues années, n'avait jamais quitté ma mémoire.

L'avion atterrit à 14 heures et vomit une foule multicolore qui déferla aussitôt vers le hall de l'aéroport. Sur le haut de la passerelle de débarquement, le sourire professionnel d'une hôtesse s'étirait sur le *i* de Paris, comme pour élargir la ville.

— Mesdames, messieurs, bienvenue à Pariiiye!

Voix automatique, trop sucrée pour avoir du goût, sans une once de sincérité. Le temps d'oublier son visage, les voyageurs formèrent deux rangées devant les guichets de contrôle. D'un coup d'œil, je repérai celle qui avançait le plus vite et suivis le mouvement, avant de remarquer une inscription : *Passeports européens.* « Ah, zut! j'y étais presque! Je croyais que l'apartheid avait disparu », pestai-je en quittant le rang.

Devant le guichet voisin, où l'homme en tenue n'arrivait plus à distinguer le bout de la file d'attente, une autre inscription mentionnait : *Passeports étrangers.* Je pris place. La distance qui me séparait de l'œil de la Nation se raccourcissait petit à petit. De demi-mètre en demi-mètre, je tirais ma valise avec moi. Soudain, des voix se bousculèrent dans mes oreilles. Devant moi, deux Africains baragouinaient une langue que je n'avais jamais entendue auparavant. Intriguée, je me demandais ce que pouvait se raconter ce couple, avec tant de ferveur, et surtout dans quelle langue. Après avoir tendu l'oreille pour rien, je m'efforçai de dissiper ma curiosité. Après tout, des langues, il y en aurait au moins huit cents en Afrique, selon Georges Fortune. Heureusement qu'il y a le français et l'anglais, sinon, à l'OUA, il faudrait se réunir autour d'un tam-tam.

Des minutes interminables, et ce fut au tour du couple d'Africains de présenter ses papiers.

— Monsieur, primo, votre carte de résident est expirée depuis une semaine, secundo, ce passeport n'est pas celui de madame, la femme sur la photo est beaucoup plus vieille qu'elle. Vous ne pouvez pas séjourner sur le territoire français !

La jeune femme, considérant la mine exaspérée du concierge de la Nation, enchaîna quelques tirades dans sa langue, en même temps que son compagnon. L'officier répéta ses propos à haute voix, mais l'Africain ne semblait pas bien comprendre et continuait à emmailloter des phrases dont le sens allait se perdre avec les volutes de buée libérées de sa bouche.

Perchée sur mes hauts talons, je grelottais en regardant la scène. Ma jupe et mon décolleté, qui affrontaient agréablement les 30 °C de Dakar, montraient maintenant leurs limites face aux 3 °C parisiens. Du café, mon Dieu, du café, j'aurais donné n'importe quoi pour une boisson chaude! Au Sénégal, je buvais mon café le matin et m'étonnais de voir les Blancs, dans les films, en prendre à n'importe quelle heure de la journée. Je compris soudain que ça faisait partie de leur condition. L'Africain et sa compagne, qui se tournèrent vers moi en quête d'un regard complice, éprouvaient la leur.

Je m'inventais des hypothèses. Des immigrés m'avaient raconté quelques-unes de leurs combines : certains, qui vivent en France avec femme et enfants, n'hésitent pas, lors de vacances au pays, à prendre une deuxième femme qu'ils ramènent frauduleusement grâce aux papiers de la première épouse.

L'homme qui trépignait devant moi avait peut-être eu moins de chance que ses initiateurs. Ou peut-être avait-il simplement manqué de jugeote? Il paraissait suffisamment vieux pour être le père de la femme qui se tordait d'impatience à côté de lui. Peut-être avait-il pris une deuxième épouse trop jeune pour ressembler à la première et tromper la vigilance de ses argus?

L'officier se leva et me jeta un coup d'œil en éructant :

— Mais ils sont bornés ou quoi? Et vous? Oui, vous, vous parlez français?

— Oui, monsieur.

— Alors traduisez-leur ce que je dis : mon collègue va venir les chercher, ils seront placés en garde à vue ; le temps pour nous de leur trouver des places dans un avion, ils seront réexpédiés chez eux fissa-fissa !

— Je ne parle pas leur langue, monsieur.

— Mais enfin, c'est incroyable, et vous vous parlez comment chez vous, avec les pieds peut-être ?

« Non, avec le tam-tam, connard », pensai-je, en réprimant un sourire. Mais je ne pipai mot, il n'avait certainement jamais lu Georges Fortune qui, d'ailleurs, racontait peut-être n'importe quoi. Il passa un coup de fil. En un éclair, deux flics, sortis je ne sais d'où, vinrent souhaiter la bienvenue au couple et l'escortèrent vers ses appartements, un lieu qui, lui non plus, ne figure pas sur les cartes postales de Paris.

L'officier se recala sur son siège, je lui tendis mes papiers.

— Vous savez, monsieur, selon Georges Fortune...

— Je m'en fous de votre Georges et de sa fortune, ce qui m'emmerde, c'est de vous voir tous, autant que vous êtes, venir chercher la vôtre ici.

Il lut attentivement mon certificat d'hébergement, feuilleta minutieusement mon passeport.

— Vous avez un visa de touriste pour trois mois ; votre hébergement, lui, n'est valable que deux mois, donc votre séjour est limité à deux mois.

– Oui, monsieur.

– Et alors?

– Oui, monsieur.

– Oui, quoi? Les traveller's chèques et le billet d'avion, ducon!

– Oui, monsieur.

– Arrêtez de couiner comme ça et dépêchez-vous, on ne va pas y passer la journée, bordel!

Tout était conforme. Les traveller's chèques portaient la somme requise, cent francs français par jour pour toute la durée du séjour. Le visa figurait en bonne place dans mon passeport mais, comme c'était le tout premier, le vigile de l'Etat était soupçonneux. Des vacanciers africains à visa unique, avec un billet aller simple, il en avait assez rencontré; ça finit par squatter les églises de France, manger chez Coluche, faire les yeux doux à l'assistante sociale, se confesser chez l'abbé Pierre et demander le droit de vote. La vue de mon billet aller-retour le rassura. Ouf! Je pouvais enfin passer le barrage et fouler le sol français. Les épines m'attendaient plus loin.

En racontant cette histoire, je guettais des marques de compassion ou de découragement sur les visages. Je n'en vis aucune. Garouwalé ponctua ma péroraison d'un sarcasme :

– Eh bien! Il faut croire que t'aimes bien les épines? Autrement, tu n'y retournerais pas à chaque fois. Elles me plairaient bien, moi, tes épines. La vache se soulage dans la prairie où elle broute, l'herbe n'en est que plus drue! Ah! Ah!

Agacée par ces dialogues stériles, je pris mes distances et préparai mon retour en tâchant de gérer au mieux mon blues de fin de vacances. Une angoisse poignante précède toujours mon retour vers l'Hexagone, je n'en dis jamais rien. Ne suis-je pas, pour eux, la veinarde qui s'envole pour la France? Même dans ma propre famille, peu de gens étaient sensibles à ma mélancolie. Je ne pouvais compter que sur ma grand-mère et Ndétare pour comprendre la douleur du Partir et me réconforter. Mes adieux aux garçons furent sommaires. Pourtant, le jour de mon départ, tout le monde m'accompagna jusqu'au débarcadère. L'Afrique est si chaleureuse! Et puis, le temps, la distance et la nostalgie finissent toujours par transformer les pires colères en chants d'amour.

12

Quelques mois après mon retour en France, mon différend avec Madické restait intact, quoique, paradoxalement, la distance nous eût rapprochés. Sans doute le coût du téléphone nous poussait-il à éviter les sujets qui fâchent, alors même que la Coupe d'Europe et ses multiples prolongations restaient l'allégorie de notre affrontement silencieux. Tous nos dialogues, même anodins, viraient au bras de fer.

— Allô !

— Oui, c'est moi, Madické, rappelle-moi.

— Bon, comment vas-tu ? Qu'y a-t-il pour m'appeler si tôt ? Il est à peine 8 heures. Comment vont les grands-parents ? Est-ce que tout... ?

— Bien, tout le monde va bien. Et toi, tu fais quoi aujourd'hui ?

— Rien de particulier, j'ai écrit toute la nuit, je vais dormir.

– Quoi? T'as oublié? C'est aujourd'hui la finale France/Italie, 18 heures, heure du Sénégal, avec le décalage horaire ça fait 20 heures chez toi. N'oublie pas de regarder le match.

– Bon, laisse-moi dormir un peu.

– S'il te plaît, mets ton réveil, je compte sur toi. Il faut absolument que tu regardes. On a essayé de réparer la télé du Parisien, mais rien à faire, elle démarre et s'arrête quand elle veut. Je ne sais pas si nous pourrons capter tout le match ici. Alors, tu comprends, je compte sur toi. On s'appelle après le match?

– Soit, mais n'espère pas un compte rendu détaillé. Je te dirai seulement le score, ça coûte cher ce téléphone!

– Oui, OK, OK, n'oublie pas ton réveil, à ce soir.

– Salut! Espèce de tyran!

Il avait raccroché, je rouspétais dans le vide: «Je n'ai pas besoin d'un foutu réveil pour ton foutu match! Enfin!»

Avant de me coucher, je mis deux réveils, l'un à sonnerie répétitive, l'autre simulant le tintement de ces cloches qui rythment la danse des vaches dans le pré. Sauf intervention de l'esprit malin, j'étais certaine de voir Zidane faire vomir leurs nouilles aux Italiens et Maldini faire rendre aux Français leur steak-frites. Une nation entière allait rire en regardant l'autre grogner ; hors des ministères, deux armées de crampons devaient déterminer les rôles. Madické avait raison, je ne devais pas rater cette guerre des tibias.

Pour le réveil, il avait marqué son but en pleine lucarne, j'avais obéi. Mais savait-il seulement qu'il m'imposait davantage ? Depuis quelque temps, il tenait le fouet dans le cirque de ma tête. Son envie d'émigrer et le rôle qu'il m'y assignait me maintenaient éveillée. Des nuits d'interrogations, des nuits d'écriture : torréfaction de ma cervelle. Le jus ? Des mots filés, comme du coton, tissés, tressés pour former la ligne invisible qui relie la rive du rêve à celle de la vie. Des guirlandes de mots-maux qui me brûlaient les yeux, quand lui me croyait indifférente à son sort. Comment lui faire comprendre que je ne refusais pas de l'aider ? Que, pour avoir éprouvé la difficulté du parcours, je ne pouvais prendre sur moi d'être son guide vers sa Terre promise ? Je n'ai pas de bâton magique capable de fendre les flots, je n'ai qu'un stylo qui tente de frayer un chemin qu'il lui est impossible d'emprunter. Cependant, en m'opposant à sa volonté, qu'avais-je à lui proposer pour lui prouver que le salut reste possible hors de l'émigration ? Pour l'instant, il affrontait sa réalité de citoyen du tiers-monde, tandis que je suivais mon fil d'Ariane en France.

Je me rendis bientôt compte que toutes mes digues verbales restaient inopérantes. L'aider à forger un projet, réalisable sur l'île, me semblait être le meilleur argument. Restait à débusquer la bonne idée, suffisamment alléchante, pour le convaincre de poser ses valises imaginaires. Puisque l'Atlantique ne fait pas pousser le blé, ma sueur devait fertiliser l'étendue de sable blanc où je demandais à mon frère de planter ses rêves. Et pour cela, je devais économiser. Comme le cousin de la Sonacotra, j'avais tout bonnement renoncé au superflu occidental. Mes loisirs se résumaient au nombre de pas de danse que j'exécutais dans mon couloir, après de longues heures passées devant l'écran. Le téléphone était le cordon ombilical qui me reliait au reste du monde. Même enfermé, on continue son parcours existentiel.

Désorienté devant le sien, Madické attendait que je serve de lièvre à sa course incertaine vers l'avenir. Je suivais obstinément une piste qui menait ailleurs qu'en France où lui voulait atterrir à tout prix. Un projet viable sur l'île, c'est tout ce que j'entrevoyais. Au bout d'un certain temps d'une vie malthusienne, j'avais réuni une somme, petite en France mais énorme là-bas, de quoi ouvrir une boutique sur l'île. Rien de faramineux, juste une sorte d'épicerie, qui ne serait jamais cotée en Bourse, mais offrirait une activité nourricière plus rassurante que la pêche et moins périlleuse que l'émigration clandestine. Le matin de la finale de la Coupe d'Europe, alors que Madické me parlait au téléphone, il ignorait autant l'existence de la cagnotte réunie en son nom que l'idée qui mijotait dans ma tête. Mais après une nuit blanche, j'avais besoin de reprendre des forces avant de me jeter dans un débat qui promettait d'être houleux. Je m'étais couchée après son coup de fil, en me disant que je lui dévoilerais le projet une autre fois, quand son attention ne serait plus accaparée par l'actualité sportive qui le tenait en haleine.

A l'heure où la boulangère compte d'un rapide coup d'œil son reste de croissants, où les automobilistes convergent vers le centre-ville, où des flots de piétons encore ensommeillés réveillent le pavé, où les cols blancs, grognons, s'affaissent sur leurs fauteuils de cuir en aboyant le nom de leur secrétaire, à l'heure enfin où, lascive, Strasbourg écoute le murmure du Rhin tout en s'offrant à la caresse timide du jour, je me coulai sous ma couette. Il ne faisait pas froid, c'était l'été ; pourtant, malgré les portes closes, j'avais besoin de me couvrir pour mieux m'isoler et déclencher ma nuit en plein jour. Impossible de dormir, je faisais la crêpe : dès qu'un côté du lit devenait trop chaud, je me roulais vers l'autre. N'y tenant plus, je fis coulisser la couette qui pesait maintenant une tonne. Mais rien n'y faisait, devant mes yeux qui mordaient le noir, un écran se mit à danser. Indiscret, l'œil du capitalisme me pourchassait jusqu'au fond de mon lit et m'intimait ses ordres : *Norton antivirus! Votre abonnement Symantec expire! Pour continuer à bénéficier des nouvelles mises à jour de Live Update, cliquez sur* renouveler!

Avant d'aller me coucher, j'avais suivi la démarche indiquée, la croyant inoffensive. Mauvaise surprise! L'écran réclamait 22,83 euros. « Reste là, chéri, je ne t'ai rien demandé, moi », avais-je murmuré avant de cliquer sur *annuler.* Et je pestai contre les grippe-sous qui ont reculé les frontières de leur marché jusqu'au milieu de nos salons. Non contents d'avoir fait de nous leur clientèle captive, ils nous manipulent par écran interposé et prélèvent leur tribut dans nos bourses *via* Internet. « Non, je n'obéirai pas cette fois! » m'écriai-je, en me dandinant vers ma chambre. Mais j'étais sous la tutelle de la haute technologie plus que je ne croyais. Affalée sur mon lit, j'implorais Morphée, en vain. Mon sommeil était confisqué, un mot clignotait au milieu de mon cerveau : Virus! Virus! Virus! Je bondis. Non! Mon ordinateur! Il m'était insupportable de le laisser contaminer par l'Ebola informatique. Vite, un vaccin ! Je devais l'immuniser contre toute attaque, et tant pis pour la carte bancaire, après tout, ce n'est que la lame indolore que le marketing a trouvée pour nous tailler les veines. Je rallumai, ma souris porta mon message de soumission, Symantec savoura sa victoire tout en me donnant l'illusion d'agir de mon propre chef : *Cliente machine, commande envoyée !* « Va te faire voir ! » maugréai-je en allant me recoucher.

A peine avais-je posé ma tête sur l'oreiller que l'écho de la voix d'un autre dictateur s'imposa, répétitif : *N'oublie pas de regarder le match...* Je vérifiai les deux réveils pour me rassurer, mais la voix insista. La journée avançait, mon sommeil reculait. Les travailleurs me croyaient au repos, je titubais de fatigue. La voisine du dessus se mit à passer l'aspirateur, mes tempes battaient le ram-tam-pitam et j'étais plus tendue que le tam-tam de Doudou Ndiaye Rose, le tambour-major de Dakar. Je n'imaginai qu'une solution : attendre le début du match dans mon bain. Je faisais des bulles – en dépit des multiples mises en garde d'un ami médecin –, je respirais un parfum coco de synthèse, en comptant sur ma mélanine pour tenir tête à un gel douche quelconque, lorsque la sonnette retentit. Vite, un peignoir ! C'était la factrice qui m'apportait, avec son gentil sourire, une lettre recommandée, énième convocation à la Direction régionale des renseignements généraux relative à ma demande de naturalisation. Je la jetai sur une table et replongeai dans mon bain. « Décidément, je ne serai jamais tranquille », pensai-je.

Lors de ma première année en France, avant de m'accorder ma carte de séjour, on m'avait convoquée, dès mon arrivée, à l'Office des migrations internationales pour une radio intégrale. Sans gale ni pustules, ne couvant non plus rien d'inavouable, on m'avait adressé, avec une facture de 320 francs français, un certificat médical qui déclarait : *Remplit les conditions requises au point de vue sanitaire pour être autorisé à résider en France.* Ainsi donc, la maladie est considérée comme une tare rédhibitoire pour l'accès au territoire français. Remarquez, à l'époque où l'on vendait pêle-mêle le nègre, l'ébène et les épices, personne n'achetait d'esclave malade. Et dans les colonies, les autochtones crurent pendant longtemps que jamais le maître blanc ne tombait malade, tant tout était fait pour maintenir le mythe de sa supériorité. Les infirmes étaient interdits de séjour dans les colonies, et dès qu'un colon commençait à montrer des signes de faiblesse, on se dépêchait de le renvoyer en métropole. Aujourd'hui encore, l'armée française présente dans les ex-colonies maintient ses vols bleus pour rapatrier ses malades, ses vilains petits canards, tous ceux qui ne portent pas haut le drapeau tricolore.

Les renseignements généraux prétendaient-ils m'apprendre à marcher au pas? Une chose est certaine, ils voulaient tout savoir de moi. Ils m'avaient vue porter la négritude de Senghor sur mon visage et ignoraient quel personnage je pouvais bien incarner parmi *Les Misérables* de Victor Hugo. Leur enquête, ils y tenaient, mais cette fois c'était décidé : je donnerais réponse à toutes leurs questions. Je leur détaillerais mes mensurations, pour leur prouver que je prends moins de place que Monsieur La Plaie, l'aboyeur de la République. Je leur préparerais une tête de veau au beurre de cacahuète, pour leur prouver que je peux requinquer un président, lui rendre sa jeunesse sans lifting et lui éviter les critiques de son ambitieux Premier ministre. Je leur ferais sentir l'odeur de mes aisselles, mes parfums et déodorants préférés. Enfin, je les laisserais compter le nombre de trous dans les dentelles de mes culottes, mesurer la longueur de mes poils et, s'ils insistent, je m'éventrerais pour leur désigner à quel endroit de mes tripes l'humiliation a planté ses ventouses.

Mon bain s'étant refroidi, je rajoutai de l'eau chaude et, pensant aux jeunes Africains qui rêvent de se trouver à ma place, j'improvisai une ballade sur le modèle des chants de lamentation de mon village. Noyée jusqu'au cou sous la mousse qui débordait de la baignoire, je m'époumonais :

Clôturés, emmurés
Captifs d'une terre autrefois bénie
Et qui n'a plus que sa faim à bercer

Passeports, certificats d'hébergement, visas
Et le reste qu'ils ne nous disent pas
Sont les nouvelles chaînes de l'esclavage

Relevé d'identité bancaire
Adresse et origines
Critères de l'apartheid moderne

L'Afrique, mère rhizocarpée, nous donne le
[sein
L'Occident nourrit nos envies
Et ignore les cris de notre faim

Génération africaine de la mondialisation
Attirée, puis filtrée, parquée, rejetée, désolée
Nous sommes les Malgré-nous du voyage.

Ce dimanche, 2 juillet 2000, ma journée stagnait au milieu du canapé quand les réveils lancèrent leur cri d'alarme ; la finale de la Coupe d'Europe allait commencer dans quelques minutes. Un bref coup d'œil par-dessus le balcon suffit pour me rendre compte qu'en ce jour du Seigneur-Ballon rond, plus personne ne traînait dehors. Tous les habitants de mon quartier s'étaient retranchés dans leur demeure, face à leur tabernacle médiatique. Je me fis un demi-litre de thé et allumai la télévision. Avant le coup d'envoi de 20 heures, les hymnes nationaux italien et français s'élevèrent comme autant de prières. Laquelle allait parvenir aux oreilles de Dieu, nul ne le savait encore. La caméra s'attarda un instant sur chacune des équipes. Pour qui peinait à identifier les titans des deux bords, la voix déjà exaltée des reporters offrait une caractérisation marquante, doublée d'un rappel historique. C'était le trente-deuxième match entre la France et l'Italie. Dès le coup d'envoi, M. Frisk, l'arbitre suédois, comprit qu'il n'était pas au centre d'un baby-foot. France/Italie : juché sur ses dizaines de sélections, Didier Deschamps pensait avoir assez de hauteur pour voir venir les Italiens, mais Maldini avait une tête de plus que lui et entendait faire usage de l'expérience que lui conféraient ses innombrables sélections. Pendant toute la première période, les deux vétérans s'épièrent. Découvrir puis exploiter les failles de l'adversaire n'est peut-être pas la plus courageuse des stratégies, mais c'est assurément l'une des plus efficaces. Sous l'arbre à palabres, le plus sage des sages parle toujours en dernier. Respect ! Barthez et Toldo se faisaient résolument face et, contrairement aux pêcheurs, chacun des deux goals tenait à rentrer les filets vides. Montés sur des ressorts et programmés pour faire barrage à tout ce qui est rond, ils gardaient une vigilance de tigre affamé et n'auraient pas hésité à bondir même sur des bulles de savon. Aucun doute, ces deux-là, placés sur le front des barricades de 68, auraient repoussé à eux seuls les charges de la maréchaussée. Sur les gradins, les supporters s'extasiaient et rivalisaient de dithyrambes.

Les taureaux espagnols n'aiment pas le rouge, les Italiens détestent le jaune, couleur préférée de Frisk. Lors de la première période, l'arbitre suédois avait osé montrer par deux fois son petit carton à Di Biagio et à Cannavaro, auxquels il reprochait leur fougue. Delvecchio se mit à voir rouge et décida de mettre un terme aux politesses. Dès la dixième minute de la seconde période, il expédia une boule de feu incendier les filets de Barthez. Les Français, touchés dans leur orgueil, montèrent à l'assaut des buts adverses. Œil pour œil, dents pour mordre la pelouse, il fallait bien qu'affront se lave. Zidane ignora la révérence due aux aînés ; les longs cheveux de Maldini, il voulait s'en faire une perruque. Qui marche vers Dieu se moque d'écraser un roi! Tension extrême, tibias brûlants, il en fallait beaucoup plus pour entamer la détermination des deux hommes. Zidane s'accrocha tant et si bien qu'il obtint un coup franc pour la France, mais Toldo était là pour limiter son ambition et lui rappeler le respect qu'il devait à Maldini. Très ancré sur la terre, Lizarazu laissa Pessoto le déposséder et filer avec le ballon. Thierry Henry se déchaîna, mit ses nerfs en boule et les balança à Toldo, qui les attendait de pied ferme.

Roger Lemerre, flairant le péril, imita Dino Zoff, son homologue italien, et réclama du sang neuf. Des jambes fraîches foulèrent la pelouse, des fesses mouillées confièrent leur inquiétude au banc de touche. Cette coupe, les deux équipes rêvaient d'y boire le champagne, mais elles devaient d'abord l'emplir de leur sueur. La courtoisie n'est pas de mise sur un champ de bataille, Zidane avait troqué sa légendaire sérénité contre la hargne du combattant, ce qui le poussa à commettre une faute remarquée sur Albertini. Dire qu'on le prend pour Gandhi! En compétition, le pacifisme d'un grand sportif égale la chasteté d'une péripatéticienne. Bref, la fin du temps réglementaire approchait, l'inquiétude et la nervosité désaccordaient les mouvements des joueurs français, justifiant les coups bas des meilleurs d'entre eux. Sur les gradins, les superstitieux croisaient les doigts en regrettant d'avoir mis du champagne au frais. Quant aux Italiens, s'ils respiraient maintenant comme des carpes, leur salive commençait à prendre le goût suave de la victoire.

C'est alors que, à deux dribbles du sifflet final, Sylvain Wiltord choisit de leur couper l'appétit en inscrivant le but égalisateur qui remit le compteur à zéro et reporta l'heure du dîner. Les Italiens ont la réputation d'être tenaces au lit, mais ce soir-là, la belle qu'ils convoitaient était difficile et voulait s'assurer qu'ils étaient capables d'en faire autant sur la pelouse. *Mamma mia!* Après une brève pause, sans bises ni bisous, les deux équipes se jetèrent dans les prolongations Malgré leurs efforts, les deux camps n'avaient pu contenir le match dans une durée humainement supportable. Les tirant par le bout des muscles, la bulle de cuir les avait menés jusqu'à cette guerre d'usure, au terme de laquelle, ils le savaient, le sceptre du roi irait au plus endurant qui n'est pas forcément le meilleur. A ce stade d'une rencontre, le talent n'est plus à l'honneur, seul le but offre la grâce et accorde à son auteur la reconnaissance d'une nation entière. Avec l'énergie du désespoir, tous les tirs, même mal cadrés, vrillaient en direction des filets. L'important était de taquiner la chance, sans se poser de questions ; cette mutine n'en fait qu'à sa tête. Trézéguet eut ses faveurs, plus vite qu'il n'espérait. Dès la treizième minute des prolongations, il marqua le but en or qui plongea la Squadra Azzurra dans l'abîme de la défaite.

La victoire répandit ses cris de joie à travers toute la France. Alors que Trézéguet croulait sous les lauriers et les vigoureuses étreintes de ses camarades, en attendant de serrer la Coupe d'Europe comme jamais il n'avait serré sa femme, Albertini peinait à retenir ses sanglots. Les joueurs italiens ne formaient plus une équipe, mais des îlots de déception et de souffrance. On gagne toujours avec les autres, mais le plat de la défaite se déguste seul. Après avoir montré l'effusion des Français dans différents endroits du pays, les anges du direct crurent bon de nous étaler le vide et la désolation de la Piazza del Popolo désertée par des supporters meurtris. Les reporters français notèrent cruellement qu'en cent onze sélections Paolo Maldini n'avait jamais gagné un seul titre avec l'équipe nationale italienne.

Je pensai à Madické qui l'idolâtrait malgré tout. La télé de l'homme de Barbès avait-elle fonctionné, avait-elle convoyé la tristesse de Maldini jusqu'au fond du ventre de l'Atlantique ? Bref, mon frère avait-il vu le match ? Je l'imaginais déçu et seul, entouré de ses camarades qui, atteints du syndrome post-colonial, savourent sans retenue toutes les victoires de l'équipe de France. De mon salon, je percevais les cris de joie et les coups de klaxon qui transformèrent Strasbourg en un gigantesque stade déchaîné. La télé disséquait, au ralenti, les actions importantes du match ; les commentaires n'étaient plus dubitatifs, mais triomphants et péremptoires. « Maintenant que l'essentiel a été dit, pensai-je, je vais me préparer un autre thé pour me donner le courage de faire mon compte rendu à Madické, si toutefois il n'a pas vu, en même temps que moi, le regard désemparé de son idole vaincue. » Alors que je revenais de la cuisine ma théière à la main, la sonnerie du téléphone retentit :

— C'est moi, fit une voix chevrotante.

— Raccroche, je te rappelle.

— Non, ce n'est pas la peine, la télé du Parisien n'avait pas l'image très nette, mais nous avons pu suivre tout le match. C'est incroyable ce qui est arrivé, pourtant Maldini était excellent, il s'est donné à fond...

— Oui, mais bon, arrête un peu de déifier Maldini, ce type croule moins sous la fatigue que sous les millions et, de plus, il ne sait même pas que tu existes.

Puis, me ravisant :

— Ne t'en fais pas, ce n'est qu'un jeu.

— C'est quand même la Coupe d'Europe! Les Italiens la méritaient, la Squadra a mené le jeu jusqu'au bout, c'est vraiment injuste! Et puis ça m'énerve, les copains se moquent de moi, d'ailleurs ils se sont cotisés pour faire la fête ce soir.

— T'as qu'à te joindre à eux, sois beau joueur, au moins ça te changera les idées.

— Ah non! Je n'ai pas envie d'y aller, ils m'énervent avec leur manie de toujours critiquer toutes les équipes, sauf la française. Ce soir particulièrement, ils font preuve d'une totale mauvaise foi. Bon, je te laisse, salut.

— Attends, attends, ne raccroche pas; ou plutôt, raccroche et je te rappelle, j'ai quelque chose à te dire.

Je comprenais la déception de Madické, mais je trouvais sa tristesse, les larmes dans sa voix et sa colère contre ses copains un peu excessives. A l'autre extrémité de la Terre, il portait sur ses épaules tout le poids de la défaite italienne et souffrait plus que les Napolitains. A défaut de trouver les mots justes, lui révéler le projet que je caressais pour lui, ainsi que le montant de la somme réunie à cet effet, me parut idéal comme lot de consolation.

— Pour moi? Mais c'est énorme! s'exclama-t-il en éclatant de rire. Tu sais combien ça fait chez nous? Tu rigoles?

— Non, non, c'est vraiment pour toi, pour ce que je viens de te dire, à moins que tu n'aies une meilleure idée.

— Mais c'est plus qu'il ne faut pour payer un billet...

— Je ne veux surtout pas entendre parler de billet d'avion ! La boutique ou un autre projet équivalent, sur place, sinon je garde mon argent et tant pis pour toi. Maintenant, je vais raccrocher, réfléchis et rappelle-moi quand tu auras fait ton choix...

— Si tu trouves que c'est mieux de se débrouiller au pays, pourquoi ne reviens-tu pas, toi ? Viens donc prouver par toi-même que tes idées peuvent marcher. Cette terre où tu veux me garder, oui, cette terre, ça te dit encore quelque chose, à toi ? Mais non, Mademoiselle ne se sent plus chez elle ici. Tu veux que je reste ici, et toi, pourquoi t'es partie, toi ?

— Réfléchis et donne-moi ta réponse. Je garde l'argent encore quelques semaines ; après, si tu n'en veux pas, j'en ferai autre chose. Quant aux vraies raisons de mon départ, ce serait trop long au téléphone, tu n'as qu'à demander à la grand-mère, elle t'expliquera, salut.

Il est tard dans la nuit. Strasbourg a baissé ses paupières, pour dormir ou pour éviter, par pudeur, d'observer l'intimité des amoureux et les mélancolies nocturnes. Ce sont toujours ces moments-là que choisit ma mémoire pour dérouler des films tournés ailleurs, sous d'autres cieux, des histoires tapies en moi comme d'anciennes mosaïques dans les souterrains d'une ville. Mon *stylo*, semblable à une pioche d'archéologue, déterre les morts et découvre des vestiges en traçant sur mon cœur les contours de la terre qui m'a vue naître et partir. De faits qui jadis ne retenaient guère mon attention, je compose maintenant mes nourritures d'exil et, surtout, les fils de tisserand censés rafistoler les liens rompus par le voyage. La nostalgie est ma plaie ouverte et je ne peux m'empêcher d'y fourrer ma plume. L'absence me culpabilise, le blues me mine, la solitude lèche mes joues de sa longue langue glacée qui me fait don de ses mots. Des mots trop étroits pour porter les maux de l'exil ; des mots trop fragiles pour fendre le sarcophage que l'absence coule autour de moi ; des mots trop limités pour servir de pont entre l'ici et l'ailleurs. Des mots donc, toujours employés à la place de mots absents, définitivement noyés à la source des larmes auxquelles ils donnent leur goût. Finalement, des mots-valises au contenu prohibé, dont le sens, malgré les détours, conduit vers un double soi : *moi* d'ici, *moi* de là-bas. Mais qui peut se multiplier comme le pain du Christ sans choir des bras des siens ? Et surtout, y a-t-il quelqu'un pour ramasser l'oisillon tombé du nid ?

La grand-mère expliquerait sans doute à Madické pourquoi je préfère l'angoisse de l'errance à la protection des pénates. Elle était seule, avec mon grand-père, à déchiffrer mes silences d'enfant, à suivre mon regard vague, à prolonger les veillées afin d'interroger mes états d'âme. Mieux que quiconque, elle sait comment l'exil est devenu ma fatalité. Généreuse, elle a tu sa peine pour m'offrir sa confiance en cadeau et préparer ma première valise lestée de mes treize ans. Petite déjà, incapable de tout calcul et ignorant les attraits de l'émigration, j'avais compris que *partir* serait le corollaire de mon existence. Ayant trop entendu que mon anniversaire rappelait un jour funeste et mesuré la honte que ma présence représentait pour les miens, j'ai toujours rêvé de me rendre invisible. Je vois encore cette ombre qui s'abattait, tel un filet épervier, sur les visages striés de plis soucieux, dès qu'un visiteur, étourdi par la nombreuse parentèle, s'enquérait de ma filiation. Sur mon corps, des marques indélébiles, le prix de l'affront imprimé sur les chairs maudites. Car, dans la société traditionnelle, si les enfants proprement nés sont éduqués par l'ensemble de la communauté et protégés en vertu du respect dû à leurs parents, les sans-baptême, eux, gagnent l'unique droit d'être rossés par qui s'en trouve le prétexte, alibi du reste inutile, puisque le délit jamais amnistié de leur naissance légitime tous les châtiments.

Même mon adorable grand-mère, pour me prouver son amour, ne cessait de me murmurer : « Elever une enfant illégitime dans ce village, j'ai dû accepter le déshonneur pour le faire ; prouve-moi que j'ai eu raison, sois polie, courageuse, intelligente, irréprochable. » Afin que je sois tout ça, sa sévérité fut à la hauteur de son sacrifice, terrible. Elle ne battait pas, elle bastonnait. Au village, ses corrections qui, sous la colère, se terminaient toujours par une morsure, sont aussi légendaires que sa détermination à me protéger envers et contre tous.

J'ai grandi avec un sentiment de culpabilité, la conscience de devoir expier une faute qui est ma vie même. En baissant les paupières, c'était mon être tout entier que je cherchais à dissimuler. Longtemps, mon sourire a signifié : « Pardon. » De la soumission, j'attendis l'amour des autres, en vain, alors j'exigeai le respect. Adolescente révoltée, je décidai de n'en plus faire qu'à ma tête, toujours soutenue par ma grand-mère, une féministe à sa façon. Désireuse de respirer sans déranger, afin que le battement de mon cœur ne soit plus considéré comme un sacrilège, j'ai pris ma barque et fait de mes valises des écrins d'ombre. L'exil, c'est mon suicide géographique. L'ailleurs m'attire car, vierge de mon histoire, il ne me juge pas sur la base des erreurs du destin, mais en fonction de ce que j'ai choisi d'être ; il est pour moi gage de liberté, d'auto-détermination. Partir, c'est avoir tous les courages pour aller accoucher de soi-même, naître de soi étant la plus légitime des naissances. Tant pis pour les séparations douloureuses et les kilomètres de blues, l'écriture m'offre un sourire maternel complice, car, libre, j'écris pour dire et faire tout ce que ma mère n'a pas osé dire et faire. Papiers ? Tous les replis de la Terre. Date et lieu de naissance ? Ici et maintenant. Papiers ! Ma mémoire est mon identité.

Etrangère partout, je porte en moi un théâtre invisible, grouillant de fantômes. Seule la mémoire m'offre sa scène. Au cœur de mes nuits d'exil, j'implore Morphée, mais l'anamnèse m'éclaire et je me vois entourée des miens. Partir, c'est porter en soi non seulement tous ceux qu'on a aimés, mais aussi ceux qu'on détestait. Partir, c'est devenir un tombeau ambulant rempli d'ombres, où les vivants et les morts ont l'absence en partage. Partir, c'est mourir d'absence. On revient, certes, mais on revient autre. Au retour, on cherche, mais on ne retrouve jamais ceux qu'on a quittés. La larme à l'œil, on se résigne à constater que les masques qu'on leur avait taillés ne s'ajustent plus. Qui sont ces gens que j'appelle mon frère, ma sœur, etc.? Qui suis-je pour eux? L'intruse qui porte en elle celle qu'ils attendent et qu'ils désespèrent de retrouver? L'étrangère qui débarque? La sœur qui part? Ces questions accompagnent ma valse entre les deux continents. Celles de Madické ne faisaient que s'y ajouter. Quelques mois après notre entretien, lassée d'attendre sa réponse à ma proposition, je lui avais, d'autorité, envoyé la cagnotte. Depuis, je languissais après des nouvelles détaillées qu'il ne semblait pas pressé de me donner.

13

A Niodior, les saisons ne trouvaient aucune raison de ne pas poursuivre leur ronde. Certaines
apportèrent beaucoup de mil et de poisson, d'autres
pas assez, mais toutes promettaient de meilleurs
jours aux humains, rêveurs invétérés ou fatalistes,
pardonnant à la vie ses trahisons, comme un amant
éperdu se complaît à ignorer les escapades de sa
belle. Là-bas, tout était stable. Les insulaires s'accro-
chaient toujours aux gencives de l'Atlantique qui
rotait, tirait sa langue avide et desséchait les fleurs
de son haleine chaude. Assidu au rendez-vous,
devant les cocotiers qui montaient la garde, le soleil,
véhément, ne demandait qu'à témoigner de sa lassi-
tude. Mais en ce jour de juin 2002, personne
n'avait d'attention à lui accorder.

Comme à l'accoutumée, les femmes s'étaient
levées avec le chant du coq pour agiter le fond des

puits, remplir les jarres vidées par les douches de la veille et celles de l'aube, couper du bois, faire tomber des ustensiles par mégarde dans les cuisines encore obscurcies par la traîne de la nuit, avant de cajoler le feu pour cuire la bouillie de mil du petit déjeuner qui embaumerait bientôt les salons. Les dunes de l'est avaient pris une teinte orangée. Avare, le ciel amassait tranquillement son or. L'arbre à palabres n'abritait, pour l'heure, que le piaillement des oiseaux, et seule la fumée échappée des cuisines traînait dans les ruelles du village. Peu de pirogues avaient quitté le débarcadère de l'île. Pourtant, ce n'était pas vendredi, mais dimanche, jour d'un Seigneur qui ne compte aucune brebis égarée dans ces pâturages salés.

Dans un salon, une télévision rutilante trônait sur une belle table en bois de teck. Les nattes disposées devant elle n'offraient plus de place disponible. Un jeune homme allait et venait, une télécommande à la main. Une jeune femme entra, chargée d'un grand plat rempli de bouillie de mil qu'elle posa précautionneusement sur une autre table. Elle disparut derrière la porte, puis revint avec une pile de bols et un petit seau en plastique qui menaçait de laisser déborder du lait caillé bien sucré et parfumé à la vanille. Le jeune homme à la télécommande apporta des cuillères et les distribua à ses hôtes qui se servirent aussitôt. Ils mangeaient sans quitter l'écran des yeux. Assis dans deux coins opposés du salon, Ndétare, sur une chaise, et le vieux pêcheur, en tailleur sur une natte, tentaient de contenir leur haine mutuelle; mais les flèches qu'ils se décochaient des yeux les trahissaient. Seule une circonstance exceptionnelle pouvait les contraindre à se retrouver sous un même toit. Pour se donner une contenance, le vieux pêcheur, d'une voix empruntée, se mit à raconter aux jeunes comment, la veille, des bancs de dauphins qui rivalisaient de grâce l'avaient accompagné jusqu'aux flancs de l'île. Confronté à la relative indifférence des jeunes gens, il tenta de dramatiser son récit : au début c'était amusant, par la suite c'était devenu inquiétant, jamais il n'avait vu une mer aussi agitée! Les dauphins coupaient la trajectoire de sa pirogue et leurs plongeons imprévisibles menaçaient de la faire chavirer. Dubitatif, l'auditoire finissait son petit déjeuner sans piper mot : les dauphins ne sont pas réputés belliqueux, bien au contraire, il n'allait quand même pas leur faire croire que Nessie guettait aux portes de Niodior. Le dernier arrivant laissa ses babouches à l'entrée du salon, arrangea son grand boubou brodé or et s'installa à côté du vieux pêcheur, après avoir longuement salué tout le monde, à l'exception de Ndétare. Le vieux loup de mer se sentit un peu plus à l'aise ; le nouveau venu, l'homme de Barbès, partageait son inimitié à l'endroit de l'instituteur. Ils échangeaient quelques banalités relatives au début de la saison des pluies, quand le jeune homme à la télécommande ramena l'attention de tous sur la raison de leur rassemblement :

– J'augmente le son, ça va commencer, ils annoncent les hymnes nationaux.

Les regards convergèrent vers la télévision, le stade d'Oita se dévoila, aussi impressionnant qu'une arène de gladiateurs, en dépit de la pelouse verte qui tentait d'apporter un peu de douceur au sol volcanique japonais. Cet endroit de la Terre, les spectateurs entendaient les reporters répéter que c'était le pays du Soleil-Levant, mais eux s'en moquaient, le soleil se lève aussi derrière les dunes de Niodior ; ils souhaitaient simplement voir les pieds de leurs joueurs favoris faire jaillir les flammes de la victoire. Les pronostics fusaient ; moins houleux que d'habitude, ils résonnaient comme des prières de communion. Pour une fois, la césure sur le terrain de football ne se prolongeait pas dans le groupe des jeunes insulaires. Surprenante, la cohésion de ces amateurs qui, afin d'être sûrs de ne pas louper le début du match, avaient passé une nuit blanche et se serraient maintenant les coudes face à l'angoisse qui les tenaillait.

Depuis leurs premiers ballons de chiffons, leurs dribbles maladroits exécutés sur des terrains vagues, leurs buts gonflés d'orgueil d'adolescents passionnés, jusqu'à leur dernière passe de jeunes adultes frimeurs, et même dans leurs rêves les plus fous, ils n'avaient jamais envisagé une affiche telle que celle qui les réunissait ce matin-là : 16 juin, le Sénégal rencontre la Suède en huitième de finale de la Coupe du Monde Corée/Japon 2002 ! Même le plus consulté des sorciers de l'île ne l'avait pas pressenti dans le murmure des esprits qu'il invoquait souvent pour les matchs de ses jeunes dévots. Il leur avait prédit la victoire du Sénégal sur le Cameroun, au Mali, à la Coupe d'Afrique des Nations 2002. Mais, dans la savane, les lions camerounais furent indomptables, et ceux de la Téranga, courtois, restèrent sur leur faim. Le sorcier reprocha à ses jeunes clients leur négligence quant au rituel requis ; pire, ils n'avaient pas enterré les gris-gris à l'endroit indiqué. Contrits, ces derniers couvèrent leur blessure qui se referma dès l'annonce de la qualification du Sénégal pour le Mondial 2002. Ils avaient alors chanté et dansé. Oh non ! Même s'ils se réjouissaient, ils n'allaient pas jusqu'à espérer boire du vin de palme dans cette Coupe. Pour une fois, Ndétare n'avait pas eu besoin de les chapitrer, ils abondaient stoïquement dans le sens de Coubertin : la participation de leurs compatriotes importait plus que les éventuels résultats. Tandis que des hâbleurs pris dans la zidanemania considéraient le Sénégal comme le gâteau de la Coupe du Monde, les jeunes footballeurs de Niodior glissaient leur orgueil sous l'oreiller de leur grand-mère et laissaient l'Atlantique gronder sa colère. Oubliés quelque part dans l'Océan, ils ne perçurent qu'un écho affaibli de l'effervescence qui avait précédé le départ des Lions de la Téranga pour l'Asie. Puis, jusqu'à cette matinée où ils retenaient leur souffle, la télé se fit magique et devint leur source de bonheur. L'équipe nationale avait enchaîné les victoires, leur offrant, à chaque fois, comme un supplément de grâce; ils ne se lassaient plus de savourer leurs propres commentaires sur chacun de ces matchs, devenus leurs douceurs favorites qu'ils aimaient à se servir à l'heure du thé.

Mais, pour le moment, Oita sonnait comme une interjection; un nouveau match se jouait et nul ne savait quel goût aurait son issue. Pendant que la tension laminait les jeunes spectateurs, le vieux pêcheur égrenait son chapelet. Plié sur sa chaise, Ndétare avait sursauté à plusieurs reprises avant de reposer son menton au creux de sa main. Soudain il bondit, déplia sa taille de géant et se recroquevilla comme s'il avait reçu un coup au foie. Lui, le raisonnable, le placide, le rationnel, poussa un terrible cri de désolation; un rugissement de lion blessé remplit la maison. Les Suédois venaient de loger la balle au fond des filets sénégalais, malgré la vigilance de Tony Sylva. Le vieux pêcheur lança une volée de jurons, sa main crispée sur son chapelet; il y avait longtemps que son fils n'était plus dans la sélection nationale, mais il demeurait passionné. Le calme revenu, la résignation guettait; pendant un instant, on pensa que le rêve s'arrêtait là. Mais aucune armée traditionnelle n'a jamais gagné une bataille sans une certaine forme d'inconscience; un mélange d'orgueil et d'optimisme aveugle permet de garder intacte la foi des troupes. Quand la défaite semble imminente, crier « on va gagner! » reste la dernière conjuration et, dans le salon, c'était le rôle de l'indémontable Garouwalé.

— Oh! Ne vous laissez pas abattre, c'est pas encore fini. Avec ce qu'on a fait jusque-là, c'est encore jouable. Je vous le jure, ils ne peuvent pas nous battre. On va gagner! C'est moi qui vous le dis.

L'assistance retrouva un peu de tonus. Garouwalé ne fournit guère d'arguments à l'appui de sa conviction, mais, à l'instar de ses camarades, les récents résultats contre le Danemark et l'Uruguay le gonflaient d'espoir. Surtout depuis le grand Vendredi, la date historique du 31 juin 2002, marquée d'une pierre blanche, il n'avait plus peur de rien. Humbles, sans pub ni propagande, les Lions de la Téranga avaient détrôné les rois du monde. Déjouant tous les pronostics, ils avaient renvoyé les Bleus déguster chez eux, plus vite qu'ils ne l'imaginaient, le gâteau salé de la défaite. Ce jour-là, en Asie, loin des masques et des sorciers africains, il avait manqué à Goliath le Dieu de David. Depuis, les jeunes de l'île ont ajouté d'autres posters sur les murs de leurs chambres.

Dans le salon, la confiance était revenue, le vieux pêcheur faisait coulisser les perles de son chapelet, mais la tension restait palpable. Soudain, il y eut un tonnerre d'applaudissements mêlés de cris : Henri Camara venait de marquer le but qui permit au Sénégal d'égaliser. Soulagé, le jeune homme à la télécommande souleva le pli de tissu qui gisait à ses côtés : le drapeau national ; il le tapota, le lissa un peu puis le reposa et ordonna à sa jeune voisine de servir quelque chose à boire.

— Je vous l'avais dit ! s'écria Garouwalé. Le lion ne se nourrit pas d'herbe mais de viande. Après le coq français, le Danemark et l'Uruguay, c'est au tour des Suédois et nous ne sommes toujours pas rassasiés ! On aura leur peau, ce n'est qu'une question de minutes, je vous dis !

Mais, comme le chapelet du vieil homme, les minutes s'égrenaient et les Lions chassaient le but en vain. L'angoisse regagnait les visages. Les mâchoires serrées, les yeux plissés, les jeunes accueillirent le sifflet annonçant la fin du temps réglementaire comme une douche froide. Les prolongations étaient inévitables et la petite pause leur sembla une éternité. La publicité, Miko et Coca-Cola, jeta ses filets en pure perte : les esprits nageaient ailleurs. Dehors, le soleil effaçait progressivement l'ombre des dunes, des hordes d'enfants profitaient de leur journée de liberté pour sillonner le village ou dérober quelques noix de coco. Des femmes balayaient les rues de leur quartier, pendant que celles qui étaient de tour de cuisine fouillaient les greniers, guettaient de rares pêcheurs ou profitaient de la marée basse pour gratter le fond des bras de mer, à la recherche de quoi mitonner leur déjeuner. Trompant l'attente, le vieux pêcheur entreprit de raconter son histoire de dauphins à l'homme de Barbès. A la moitié de son récit, le stade d'Oita réapparut ; il s'interrompit et se remit à tirer nerveusement sur son chapelet. Les jeunes avaient quitté leurs positions initiales et s'étaient resserrés devant l'écran. Ils connaissaient peu les Sénefs, et les récentes victoires rendaient les choix de Bruno Metsu, l'entraîneur, indiscutables. Le mutisme remplaça les pronostics, même Garouwalé ne trouvait plus les mots pour rasséréner le groupe. Puis un vent de panique souffla, ils s'agrippèrent les uns aux autres, secoués par le même tremblement. *Allah Akbar!* fit le vieux pêcheur en écrasant son chapelet des deux mains contre son visage. En effet, Dieu était assez grand pour envoyer un bol d'oxygène depuis Oita jusqu'au salon niodiorois. Lorsque le vieil homme rouvrit les yeux, les jeunes déjà respiraient mieux. Tony Sylva n'avait pas intercepté le ballon, mais nos ancêtres animistes étaient sans doute à Oita pour donner aux objets la faculté de lui prêter main-forte : son poteau avait stoppé le tir du Suédois Svensson. *Alhamdoulilah!* La menace était écartée, mais la prolongation portait bien son nom, le temps était lourd et semblait figé. Une perle du chapelet était peut-être tombée dans l'oreille de Dieu car, en un éclair, la joie illumina tous les visages.

— Le but en or! hurlait Garouwalé au milieu du brouhaha, imitant les reporters. Henri Camara! Il a encore marqué! Et c'est le but en or! Le Sénégal a battu la Suède, il décroche son billet pour Osaka! Les Lions de la Téranga vont en quart de finale de la Coupe du Monde! Du jamais-vu!

Confusion générale au salon, mêlée d'embrassades, chacun se jeta dans les bras à sa portée, Ndétare et le vieux pêcheur se retrouvèrent l'un dans les bras de l'autre. Lorsqu'ils s'en rendirent compte, ils échangèrent un sourire gêné. L'homme de Barbès, surpris par la scène, fit mine de n'avoir rien vu et continua de s'extasier avec les jeunes. Puis le stade d'Oita disparut de l'écran, supplanté par les annonces publicitaires. Le jeune homme à la télécommande, sans même éteindre l'appareil, déroula son drapeau et sortit en courant vers l'artère principale du village. Avec ses copains qui le suivaient au pas de course, il chantait la victoire, rappelait la légende du lion, roi de la forêt :

– Vive les Lions! *Gaïndé N'diaye! M'barawa-thie!*

Deux d'entre eux avaient bifurqué dans une ruelle, avant de rejoindre le groupe munis de djembés. Ils improvisèrent une danse au milieu du *Dingaré*, la place du village, en reprenant un air très fameux de Yandé Codou Sène. Cette chanson à la gloire du lion, totem national, affirmant que *le lion n'aime pas le mboum* (une sorte d'épinard), *qu'il se nourrit de viande*, semblait inventée pour l'événement. A qui mieux mieux, les jeunes la chantaient en la parodiant. D'après eux, non seulement les joueurs de l'équipe nationale étaient des lions, mais, outre la viande, disaient-ils, ils se nourrissaient de buts, de balles, de dribbles et de tirs victorieux.

Khamguèné Gaïndé,
Gaïndé bougoule mboum, yâpe laye doundé
Gaïndé, Gaïndé,
Gaïndé bougoule mboum, yâpe laye doundé
Henri Camara gaïndé la,
Henri bougoule mboum, buts laye doundé
El-Hadji Diouf gaïndé la,
El-Hadji bougoule mboume, dribbles laye doundé
Tony Sylva gaïndé la,
Tony bougoule mboume, balles laye doundé
Bruno Metsu gaïndé la,
Bruno bougoule mboume, entraînements laye doundé
Les Lions de la Téranga
Kène bougouci mboum, victoires lagnouye doundé...

14

A Strasbourg, la cathédrale contemplait la lente fuite des nuages, en attendant d'accueillir des anges poètes. Le Rhin rampait, heurtait les écluses, fuyant les bateliers qui lui réclamaient leurs heures perdues. C'était l'été ; la vie n'était plus qu'une glace vanille-chocolat, une île flottante dans un décolleté de taffetas, une ficelle de cerf-volant qui inspirait les petits et, la nuit venant, derrière les murs, filait entre les doigts des adultes ou les tirait inexorablement vers l'automne. Pendant que les cigognes échangeaient leurs plumes contre des débris de rêves, je suivais la Coupe du Monde, regardant les matchs à la télé, feuilletant la presse.

Aucun coup de fil de Madické, ni pour prendre des nouvelles, ni pour me demander un compte rendu des matchs. Je pensais à la liesse au pays. En regardant un documentaire, je vis la mère d'El-

Hadji Diouf, l'attaquant sénégalais, danser de joie dans sa grande villa, après une victoire. « C'est la danse à laquelle tous les enfants du pays qui mangent des sardinelles en attendant que Dieu veuille bien penser à eux souhaiteraient pouvoir inviter leur mère, pensai-je. Et pour un seul pas de cette danse, ils sont prêts à traverser le Sahel à pied, à laisser leur peau dans la soute d'un avion ou sur un radeau lancé à l'eau-gresse depuis le détroit de Gibraltar. On meurt seul en cours de route, mais on part souvent à l'aventure pour les autres. »

Moussa, qui n'a pas supporté la honte de son rapatriement, n'est plus là pour voir son père réaliser enfin qu'à notre époque, le football est un gagne-pain de choix; en fait, l'issue de secours idéale pour les enfants du tiers-monde. Mieux que le globe terrestre, le ballon rond permet à nos pays sous-développés d'arrêter un instant le regard fuyant de l'Occident, qui, d'ordinaire, préfère gloser sur les guerres, les famines et les ravages du sida en Afrique, contre lesquels il ne serait pas prêt à verser l'équivalent d'un budget de championnat. Alors, forcément, avec les victoires du Sénégal à la Coupe du Monde, les nègres de France ont chanté et dansé; pour une fois, ils se sont invités dans la cour des grands où, en prime, on parlait d'eux en bien. Même ceux qui ont peur de rentrer au pays avec leurs valises bourrées d'échecs, d'humiliations et de déceptions sont sortis de leurs cités bétaillères pour hurler leur fierté retrouvée dans l'Hexagone. Ils en arrivaient même à oublier qu'à leur propos on ne parle jamais de reconnaissance ni d'une simple citoyenneté, mais de tolérance et d'intégration au moule d'une société-tamis où ils ne sont que les grumeaux. Alors que les Sénégalais de Paris se réjouissaient, déferlant sur les Champs-Elysées, ils furent rattrapés par leur condition d'immigrés et son corollaire : le mépris. L'Arc de Triomphe, ce n'est pas pour les nègres ! Allez, circulez ! Mais, en 1998, à Dakar, les Français expatriés avaient obstrué toutes les grandes avenues, avant de s'approprier les meilleurs restaurants. Buvant à la Coupe jusqu'au bout de la nuit, ils avaient rythmé le sommeil des citadins de leurs multiples concerts de klaxon, sans que personne ne trouvât à redire aux débordements de leurs beuveries. Dispensés de visas, ils sont chez eux selon la *téranga*, l'hospitalité locale, et les lois que la France impose à nos dirigeants, en leur tenant la dragée haute. Ils ont assez d'argent pour s'acheter la moitié du pays et s'octroyer, en prime, des millésimes importés pour arroser leur victoire jusqu'à plus soif, à la différence de ces immigrés qui se soûlent au jus de *bissap* afin d'oublier leur minable fiche de paie, si toutefois ils en ont jamais eu. Allez, circulez! Bande de nazes! La bamboula, ça se danse sous les bananiers. Vous vous croyez à Sandaga ou quoi? J'ai dit circulez, avant que je ne vous amène à la Gueule tapée.

Et ils avaient circulé, sans pouvoir faire le tour de l'Arc de Triomphe : les Bleus à matraque gagnent à tous les coups, surtout quand la photo géante de Zidane, transformée en tapisserie urbaine, n'est plus là pour les hypnotiser. Les cris de joie en wolof, ça les réveille, ça leur fout de l'urticaire, si bien qu'ils se rappellent opportunément que, sur les Champs-Elysées comme partout ailleurs sur le territoire, même les jours de liesse populaire, ils ont pour mission d'assurer la libre circulation des véhicules automobiles. La préfecture eut beau exécuter ses pirouettes de communication, en arguant de la protection des piétons, avant de reconnaître qu'on ne demande jamais l'autorisation de manifester sa joie, ses hommes de terrain ne s'étaient pas contentés de rougir face au piaillement wolofisant. Bon, restons disciplinés, il faut bien qu'ils fassent leur travail, on leur livre des matraques pour ça. Mais chut! Tout ça, Madické ne le sait pas. Même si l'Afrique est, dit-on, peuplée de tyrans, lui n'a jamais vu de près que les deux policiers de l'île qui jouent avec lui au football. Alors, si jamais vous lui dites que j'ai peur des flics, à cause des contrôles d'identité musclés et leur regard accusateur, je vous condamne à quatre heures de tête-à-tête avec une patrouille. Moi, je m'y suis habituée et ie m'en moque; mais vous, peut-être pas.

Il n'y avait pas que les policiers qui trouvaient indigeste la joie des immigrés sénégalais. Certains journalistes préféraient en nier la légitimité. Opérant un hold-up sur les victoires sénégalaises, ils entendaient le chant du coq dans le rugissement du lion. Il est vrai que la majorité des Lions de la Téranga joue en France – et le Sénégal ne peut être que reconnaissant à l'égard de ceux qui leur ont permis d'affiner leurs talents – mais est-ce une raison suffisante pour les traiter de Sénégaulois, de Bleus bis, et spolier leur patrie des lauriers acquis sous sa bannière? A-t-on déjà vu un professeur s'attribuer le diplôme de son élève? D'ailleurs, si Socrate accouchait les esprits, c'est bien parce que ceux-ci n'étaient pas vides. El-Hadji Diouf n'est pas sorti de la cuisse de Zidane. Des maillots, oui; pas des laisses! En dépit des efforts de Schoelcher, le vieux maître achète toujours ses poulains, se contente de les nourrir au foin et s'enorgueillit de leur galop. Puisque l'Afrique est jugée inapte au point de ne pas mériter sa propre sueur, son indépendance est un leurre qui nous invite à garder l'œil sur les griffes du prédateur. Aussi, je déclare 2002 année internationale de la lutte contre la colonisation sportive et la traite du footeux!

Sans nouvelles de Madické, la Coupe du Monde continuait et, avec elle, l'OPA sur le Sénégal. Alors que les Sénégalais se contentaient de bonnes bouchées de *thiéboudjène* et arrosaient leurs victoires successives d'un modeste jus de *bissap*, le coq traînait encore sa patte blessée, et les perroquets qui voulaient le consoler chantaient toujours faux.

Le 18 juin, les regards restaient tournés vers l'Asie et les gazettes affichaient : Corée du Sud/Italie. Nombreux étaient ceux qui vendaient la peau des Coréens avant le début du match. Les pronostics ne m'intéressaient guère, une pensée me réjouissait : j'étais presque certaine que, lorsque Maldini aurait fini de tremper son maillot, mon frère m'appellerait; pour partager sa joie ou ses trémolos, peu m'importait, je voulais simplement l'entendre. Je suivis donc le match, histoire de piocher des anecdotes afin de ne pas bafouiller lorsqu'il les évoquerait. Je ne voulais pas me l'avouer, mais, secrètement, je priais pour une victoire italienne, ça ferait plaisir à Madické. Cependant, tassés par milliers dans la tribune rouge, les supporters coréens dégageaient une énergie à propulser leurs joueurs vers le succès. Après un long combat, l'heure de vérité avait sonné pour la Squadra Azzurra. Debout et fiers, là où personne ne les attendait, les Coréens firent subir aux Italiens le même sort que les Sénégalais avaient réservé aux Suédois. Malgré le chiffre de la trinité inscrit sur son maillot, Paolo Maldini, le héros de mon frère, n'avait pas réussi à empêcher le but en or du Coréen Ahn Jung Hwan, décidé à se racheter après avoir raté un penalty. Le géant de Madické n'avait pas des pieds d'argile, mais il lui avait manqué quelques centimètres pour toucher l'irrévérencieux ballon qui survola sa tête. Ce n'est certes pas de cette manière que je comptais en parler à mon frère. Au bout du fil, je lui aurais dit : « Ah ! Maldini a vraiment fait ce qu'il fallait, c'est juste qu'il lui a manqué un peu de chance. »

Les jours passaient, sans un signe de Madické. Je faisais une moisson de magazines de football à lui envoyer, ceux qui concernaient les Lions de la Téranga, naturellement, mais aussi, comme auparavant, tout papier qui montrait une photo de Maldini ou parlait de la Squadra Azzurra. Mais mon frère s'obstinerait-il à idolâtrer cette équipe s'il savait à quel point certains dirigeants du football italien manquent d'élégance et piétinent l'esprit du sport ? Luciano Gaucci, président du club de Pérouse, n'a pas attendu la fin du Mondial pour annoncer l'expulsion du Coréen Ahn Jung Hwan, auteur du but en or qui avait éliminé l'Italie. En

échange de quelques liasses d'euros, les joueurs africains et asiatiques, saisonniers du ballon rond,
doivent-ils renoncer à défendre les couleurs de leur
pays d'origine? Si l'Occident n'accepte même pas
d'être égalé par le tiers-monde, ne serait-ce qu'en
football, comment peut-on espérer qu'il l'aide à se
hisser à son niveau de développement? Alors que
les petits pays fêtaient leur excursion inopinée dans
la cour des grands et en découvraient les fastes, un
journal italien à grand tirage placardait à sa une :
« Un Mondial sale! » Un Mondial propre serait-il
un Mondial joué, arbitré et gagné par nos invin-
cibles maîtres européens? Ne bottez pas la balle en
touche!

Aucun coup de fil, je me rassurais comme je
pouvais : sur son île, mon frère n'avait pas de
maître, il vaquait librement à ses occupations et
ignorait mes questions. Peut-être m'appellerait-il à
la fin du championnat. Nous pourrions alors,
toutes cartes en main, analyser le parcours des Sénégalais et des Italiens. Je devais me tenir parfaite-
ment au courant des événements.

Tenace, la Turquie avait rongé les griffes du lion,
le Sénégal avait perdu en quart de finale et n'était
plus en lice. Le rêve s'arrêtait là. La Coupe du
Monde continuait, mon exaltation s'estompait gra-
duellement et ma patience touchait à sa fin. Prise

en otage par les médias durant cette période où le sport, sans en avoir l'air, instaura son totalitarisme consensuel à l'échelle de la planète, je vivais chaque instant passé devant l'ordinateur comme un acte de résistance.

Toujours pas de coup de fil de Madické. A l'exilé il manque toujours quelqu'un, bien sûr. Mais il y a des moments où ce manque se fait cuisant et transforme l'Ailleurs en prison à ciel ouvert. La nostalgie est une douleur que l'accueil ne peut soigner. Un être ne remplaçant pas l'autre, l'affection des amis réconforte, mais elle ne saura jamais combler les trous que l'absence creuse dans le cœur. Même une querelle téléphonique avec mon frère m'aurait fait du bien. Je n'avais qu'à l'appeler ? Non, même si l'attente était dure, je voulais savoir si je lui manquais. Chez nous, les gens ont l'habitude de ne pas écrire, de ne pas téléphoner aux leurs qui sont à l'étranger, sauf quand ils ont besoin de quelque chose ou pour annoncer un décès. Ainsi, à force, chaque prise de contact étant motivée, la personne qui vit à l'étranger ne sait plus dans quel signe chercher le sentiment, l'affection de sa famille. Leur arrive-t-il de penser à nous d'une façon désintéressée, uniquement par amour ? J'attendais une réponse à cette question. Il fallait tenir un peu. Réfléchir sans arrêt, se torturer le cerveau, garder l'esprit éveillé, maintenir la volonté en action, lui refuser toute occasion de s'affaisser et faire litière de mes états d'âme, voilà ce qui était indispensable pour mettre le blues en sourdine. Le mur des Lamentations n'est pas à Strasbourg, il y a le Rhin qui coule et coule encore, sans pour autant offrir aux larmes le goût de l'Atlantique. Douces et belles auraient dû être mes nuits rhénanes si le cerveau ne berçait sa houle permanente. Mais que murmurait alors l'Océan où se reflétaient les ombres de mes nuits?

Là-bas aussi, on avait appris que vingt et un des vingt-trois joueurs sélectionnés pour l'équipe nationale évoluent en France. Après tous les motifs couramment invoqués par les jeunes de l'île pour justifier leur désir d'émigrer, ce constat n'allait-il pas devenir l'ultime poutre destinée à consolider le fondement de leur choix? Maintenant qu'il était prouvé aux yeux du monde que nos sportifs, qui rendent au pays sa fierté, vivent en France, avec quel argument pouvait-on empêcher nos jeunes de penser qu'ils devaient, eux aussi, aller chercher leur réussite dans ce pays? Aujourd'hui plus que jamais, la nécessité de franchise incombe aux immigrés, même à ceux d'entre eux qui sont nimbés de l'aura de la réussite. Il ne s'agit pas de dégoûter les nôtres de l'Occident, mais de leur révéler le dessous des cartes. Et je me mis à rêver de conférences, lors desquelles chacun de nos Sénefs raconterait ouvertement la part amère de sa vie en France. Je voudrais qu'ils décrivent à leurs frères les cendres froides de la cheminée d'où jaillit la flamme victorieuse qui déchire les ténèbres de l'exil. Je voudrais qu'ils racontent comment à Guingamp, Lens, Lorient, Monaco, Montpellier, Sedan ou Sochaux – où ils jouent –, les mêmes qui les acclament lorsqu'ils marquent un but leur font des cris de singe, leur jettent des bananes et les traitent de sales nègres lorsqu'ils ratent une action ou trébuchent devant les filets adverses.

Que nos admirables joueurs disent à leurs fans du pays, qui rêvent de les rejoindre dans les clubs européens, comment certains d'entre eux passent le plus clair de leur temps à cirer le banc de touche, quand ils ne sont pas utilisés comme bouche-trous, obligés de subir un contre-emploi pour permettre aux titulaires de jouer. « On ne monte l'âne qu'à défaut de cheval », dit le paysan.

Faites circuler le micro ! Que nos héros expliquent à leurs frères le poids des papiers : la France qui revendique leurs exploits ne leur accorde, bien souvent, qu'une carte de séjour temporaire. De même que nous sommes obligés de renouveler régulièrement notre abonnement antivirus d'ordinateur chez Symantec, certains sont tenus d'aller faire réactualiser leur visa antiexpulsion au pays. Chaque année, ils doivent glisser une part de ce que leur rapportent leurs buts dans l'escarcelle de l'ambassade, pour avoir le droit de respirer au pays des Droits de l'homme. Le prix du visa que les Sénégalais payent pour venir en France équivaut à un salaire mensuel local, alors que n'importe quel Français peut se rendre au Sénégal à loisir, sans aucune formalité. Celui qui ne m'aime pas assez, ou ne me fait pas assez confiance pour me laisser venir chez lui à ma guise, doit apprendre à frapper à la porte lorsqu'il veut entrer chez moi. Nos joueurs sauront-ils faire preuve d'une telle franchise?

Toujours aucune nouvelle de Madické. Pourtant, il savait que, sans raison majeure, je ne prenais jamais l'initiative de l'appeler, ce qui m'obligeait à passer deux communications successives : la première pour Ndogou, l'employée du télécentre, pour l'aller chercher, la seconde en espérant sa présence au bout du fil. Etait-il fâché contre moi? N'était-il pas en train de penser que si je l'avais aidé à venir jouer en France, il aurait pu être, aujourd'hui, l'un de ces joueurs qu'on adulait au pays?

La Coupe du Monde était terminée, l'ordre du monde n'avait pas changé. L'avantage de l'Union européenne, ce n'est pas le shopping permanent que permet l'euro et l'élargissement du terrain pour la chasse aux étrangers, mais la possibilité de se battre sur plusieurs fronts : après une défaite nationale, on peut toujours prier pour la victoire d'un autre pays de l'Union. A la finale de la Coupe du Monde, l'Allemagne croula sous les fanions. Mais les hommes aux noms se terminant presque tous par un *o* aussi rond que le ballon tenaient à se venger de leur déception de 1998. Le Brésil remporta la Coupe et on oublia toutes les surprises du Mondial. Une grande nation du football l'avait emporté, conformément aux pronostics ; le cours de l'Histoire, qui avait failli déraper, retrouva sa trajectoire. Il n'y avait plus de dérivatif, il fallait de nouveau faire face à la banale réalité, s'amuser à rendre à la vie son sourire jaune.

A l'étranger, le blues menace toujours de s'installer, faute d'un événement susceptible de redonner goût et teinte à la suite uniforme des jours. Celui-ci prit la forme inattendue d'un petit paquet affranchi de six timbres en provenance du Sénégal. Une fois le papier cadeau déchiré, je découvris un carton scotché de toute part ; à l'origine, un emballage de quatre batteries de radio, recyclé pour servir de colis. Dedans, un petit sac en coton cousu main, à l'intérieur duquel tenaient serrés trois sachets en plastique contenant chacun un produit du pays quelques arachides du beurre de cacahuètes et une poignée de farine de mil bien séchée. Ce maigre colis, qui en fera sourire plus d'un, me combla de joie. Ce petit paquet signifiait que là-bas, au bout du monde, dans le Sahel où le sable brûle les semailles, où les vautours sont seuls à se réjouir du passage des troupeaux, là-bas, dans le ventre de l'Atlantique, où seul le sel se récolte à profusion, là-bas donc où il serait plus judicieux de garder ses maigres denrées que de les offrir, quelqu'un pensait à moi avec beaucoup d'amour. Alors que Madické, qui avait fait de moi une reporter de football, gardait le silence, les kilos de tendresse reçus par ce courrier inespéré meublaient l'écran de ma vie. Nul n'a appris aux hommes de chez nous que la tendresse n'ôte de virilité à personne, qu'elle donne au contraire un supplément d'âme au plus affirmé des caractères. Si l'on se masse sous le baobab, ce n'est pas seulement pour la capacité de cet arbre à résister aux tempêtes, mais aussi parce qu'il est capable de reverdir et de répandre la douceur de son ombre autour de lui. Il n'est pas étonnant qu'en Afrique les enfants jouent toujours dans la proximité des femmes. Pendant que les durs les prennent pour des plantes vertes, mères et sœurs répandent gracieusement leur ombre, soignent les frêles pousses qui, dès sept ans, refuseront leurs bisous pour se muer en véritables baobabs de saison sèche.

Madické était devenu ce qu'il souhaitait, un homme, et les jérémiades de nanas il n'aime pas trop ça ; celles qui font les mecs non plus, me disait-il. Je savais que mon ton au téléphone ne ferait qu'empirer les choses, sauf si, pour une fois, il acceptait une discussion entre égaux.

Tandis que le soir même, en prenant mon thé, je croquais mes arachides avec recueillement et délectation, le téléphone se mit à sonner. Ah non ! Pas maintenant ! La sonnerie insista, je décrochai.

– Oui, c'est moi, Madické.

– Ah, tiens, tiens, tu daignes enfin m'appeler ! Bonjour la fratrie ! Allons, dis-moi, à qui veux-tu parler ? A ton billet pour la France ou à ta chère sœur oubliée ?

– Oui, je sais. Excuse-moi, mais j'étais trop occupé : avec une Coupe du Monde telle que nous l'avons vécue, plus question de rater le moindre match ; les Sénefs ont été épatants. En ce moment, ils sont à Dakar, mais ils vont bientôt repartir en France, dans leurs clubs. J'aimerais tellement...

– Oui, ne m'énerve pas encore avec ta rengaine ! T'aimerais tellement venir en France ! Dépêche-toi donc d'arriver, l'église Saint-Bernard te servira d'hôtel particulier. Que les Sénefs jouent en France, bien sûr, avec tes copains, vous n'avez retenu que cela de cette foutue Coupe du Monde !

— Eh, attends! Je disais que j'aimerais tellement, à l'occasion, les voir jouer pour de vrai au stade Léopold Sédar Senghor de Dakar, par exemple. Qui te parle de partir? Peut-être que certains copains y pensent encore, mais moi, ça ne m'intéresse plus. J'ai beaucoup de travail à la boutique, il faut sans cesse renouveler le stock; je crois que je vais l'agrandir, elle marche très bien. J'ai même pu louer une belle télé, si bien que nous avons tous suivi la Coupe du Monde chez moi. Ecoute, la grand-mère demande de tes nouvelles, as-tu reçu son colis? Elle n'arrête pas de parler de toi, tu lui manques. Franchement, tu devrais rentrer, il y a plein de choses à faire ici.

Je baissai le ton, touchée. L'amour, chez nous, on ne l'avoue pas ouvertement, il lui faut sourdre des cœurs et, comme les bras de l'Atlantique, creuser ses propres sillons pour couler vers les terres avides. Il faut donc le deviner au détour d'une phrase, l'espace d'un regard qui se rétrécit tout doucement, d'un sourire en coin, d'une petite tape caressante sur l'épaule, dans cette façon de ralentir le dernier service du thé, de synchroniser ses pas quand on raccompagne les êtres chers à leur domicile, toutes choses imperceptibles à cinq mille kilomètres. Le léger tremblement dans la voix habituellement ferme de mon frère trahissait tout cela.

Un baobab ne se met pas à genoux. M'annoncer que sa boutique – une échoppe grande comme un cercueil debout – marchait bien, que son économie prospérait, c'était sa façon à lui de me remercier. Quant à la grand-mère qui me réclamait, même si c'était vrai, c'était aussi une manière détournée de me faire comprendre, sans passer pour un tendre, que je lui manquais.

– Dis-lui que je viendrai bientôt.

– Je ne te parle pas de vacances, mais de revenir pour de bon, ici, chez toi : tes racines doivent chanter en toi.

– J'apprécie les chants, mais j'ai peur des loups.

– Mais tu débloques ou quoi ? Quels loups ? Il n'y a plus de loup dans ce village depuis belle lurette ; et puis, rien ne t'empêchera de t'installer en ville, au moins, tu seras avec nous, au pays. Moi, j'aime mieux vivre chez moi, surtout maintenant que j'ai ma boutique. C'est vrai que les gens me prennent beaucoup de choses à crédit, certains viennent carrément quémander. Le vieux pêcheur, par exemple, lui, il a pris l'habitude de venir se servir gratos. Mais bon, ça va, on se file tous des coups de main. D'ailleurs, avec un peu d'argent, tu peux avoir la belle vie ici. Là-bas, ce ne sera jamais vraiment chez toi. Tu dois rentrer chez nous. Si t'étais obligée de choisir entre les deux pays, tu choisirais lequel ?

– Et toi, tu préfères qu'on te coupe la jambe gauche ou le bras droit? rétorquai-je en riant.

– La question ne se pose pas, remarqua-t-il dans un éclat de rire.

– Ben, pour moi non plus.

– Tu dois quand même rentrer : là-bas, tu le sais bien, ce ne sera jamais vraiment chez toi.

Pour clore la conversation dans la bonne humeur, j'avais préféré esquiver le débat et l'interroger sur l'évolution de sa petite boutique, ses projets d'agrandissement. Surtout, je l'avais encombré de messages affectueux, pour chaque membre de la famille tout en sachant qu'il ne les transmettrait pas. Il dirait sobrement :

– Elle vous salue, elle se porte bien.

C'est ainsi qu'on parle de ceux qui sont loin de chez eux, quand on a oublié leur plat, leur musique, leurs fleurs, leur couleur préférés, quand on ne sait plus s'ils prennent le café avec ou sans sucre ; toutes ces petites choses qui ne tiennent pas dans une valise mais font qu'en arrivant on se sent chez soi ou pas.

Chez moi ? Chez l'Autre ? Etre hybride, l'Afrique et l'Europe se demandent, perplexes, quel bout de moi leur appartient. Je suis l'enfant présenté au sabre du roi Salomon pour le juste partage. Exilée en permanence, je passe mes nuits à souder les rails qui mènent à l'identité. L'écriture est la cire chaude que je coule entre les sillons creusés par les bâtisseurs de cloisons des deux bords. Je suis cette chéloïde qui pousse là où les hommes, en traçant leurs frontières, ont blessé la terre de Dieu. Lorsque, lasses d'être plongées dans l'opaque repos nocturne, les pupilles désirent enfin les nuances du jour, le soleil se lève, inlassablement, sur des couleurs volées à la douceur de l'art pour borner le monde. Le premier qui a dit : « Celles-ci sont mes couleurs » a transformé l'arc-en-ciel en bombe atomique, et rangé les peuples en armées. Vert, jaune, rouge ? Bleu, blanc, rouge ? Des barbelés ? Evidemment ! Je préfère le mauve, cette couleur tempérée, mélange de la rouge chaleur africaine et du froid bleu européen. Qu'est-ce qui fait la beauté du mauve ? Le bleu ou le rouge ? Et puis, à quoi sert-il de s'en enquérir si le mauve vous va bien ?

Le bleu et le rouge, les chants et les loups, je les ai dans la tête. Je les emporte partout avec moi. Où qu'on aille, il y aura toujours des chants et des loups, ce n'est pas une question de frontières.

Je cherche mon pays là où on apprécie l'être-additionné, sans dissocier ses multiples strates. Je cherche mon pays là où s'estompe la fragmentation identitaire. Je cherche mon pays là où les bras de l'Atlantique fusionnent pour donner l'encre mauve qui dit l'incandescence et la douceur, la brûlure d'exister et la joie de vivre. Je cherche mon territoire sur une page blanche ; un carnet, ça tient dans un sac de voyage. Alors, partout où je pose mes valises, je suis chez moi. Aucun filet ne saura empêcher les algues de l'Atlantique de voguer et de tirer leur saveur des eaux qu'elles traversent. Racler, balayer les fonds marins, tremper dans l'encre de seiche, écrire la vie sur la crête des vagues. Laissez souffler le vent qui chante mon peuple marin, l'Océan ne berce que ceux qu'il appelle, j'ignore l'amarrage. Le départ est le seul horizon offert à ceux qui cherchent les mille écrins où le destin cache les solutions de ses mille erreurs.

Dans le rugissement des pagaies, quand la mamie-maman murmure, j'entends la mer déclamer son ode aux enfants tombés du bastingage. Partir, vivre libre et mourir, comme une algue de l'Atlantique.

Cet ouvrage a été composé et imprimé par

FIRMIN DIDOT

GROUPE CPI

Mesnil-sur-l'Estrée

pour le compte des Éditions Anne Carrière
104, bd Saint-Germain 75006 Paris
en octobre 2003

Imprimé en France
Dépôt légal : août 2003
N° d'édition : 272 - N° d'impression : 65935